SEJA A PESSOA CERTA NO LUGAR CERTO

EDUARDO FERRAZ

SEJA A PESSOA CERTA NO LUGAR CERTO

SAIBA COMO ESCOLHER EMPREGOS, CARREIRAS E PROFISSÕES MAIS COMPATÍVEIS COM SUA PERSONALIDADE

Planeta ESTRATÉGIA

Copyright © Eduardo Ferraz, 2019
Copyright © Editora Planeta do Brasil, 2019
Todos os direitos reservados.
www.eduardoferraz.com.br

Preparação: Eliana Rocha
Revisão: Project Nine Editorial e Amanda Zampieri
Diagramação: Triall Editorial Ltda
Capa: Departamento de criação da Editora Planeta do Brasil

Dados Internacionais de Catalogação na Publicação (CIP)
Angélica Ilacqua CRB-8/7057

Ferraz, Eduardo
　　Seja a pessoa certa no lugar certo / Eduardo Ferraz. -- São Paulo : Planeta do Brasil, 2019.
　　208 p.

ISBN: 978-85-422-1558-8

1. Profissões - Desenvolvimento 2. Sucesso nos negócios 3. Mudança organizacional 4. Planejamento 5. Conduta - Trabalho I. Título

19-0391　　　　　　　　　　　　　　　　　　　　CDD 650.14

2019
Todos os direitos desta edição reservados à
EDITORA PLANETA DO BRASIL LTDA.
Rua Bela Cintra 986, 4º andar – Consolação
São Paulo – SP CEP 01415-002
www.planetadelivros.com.br
atendimento@editoraplaneta.com.br

Sumário

Prefácio 7
Introdução 9

Capítulo 1. Vieses cognitivos: os filtros que distorcem a realidade 23
Capítulo 2. Quem comanda nossas decisões? 37
Capítulo 3. Conheça seu perfil DISC 51
Capítulo 4. Descubra o que o motiva 87
Capítulo 5. Identifique e use seus principais talentos 115
Capítulo 6. Aprimore suas atitudes 133
Capítulo 7. Corrija seus pontos limitantes 149
Capítulo 8. Aprimore-se 161
Capítulo 9. Vale a pena ser a pessoa certa no lugar certo 175

Referências bibliográficas 193
Links sobre o livro na mídia 197
Agradecimentos 199
O autor 201

Prefácio

O filósofo Platão dizia que "a maior vitória do ser humano é a conquista de si mesmo". Essa frase já provocou acalorados debates e enormes esforços de interpretação, pois há muito que dela pode se tirar como lição de vida.

Quem se dedicar à tarefa de progredir na estrada da evolução profissional e comportamental, sem dúvida, conseguirá obter progresso material e aumento da felicidade pessoal. Creio que Platão pensava nisso quando alertou para a necessidade de buscar a "conquista de si mesmo".

Pois, se você deseja trilhar o caminho proposto por Platão, o livro que tem em mãos é uma espécie de bíblia que pode operar milagres. Eduardo Ferraz conseguiu cumprir dois objetivos: por um lado, desvendou os intrincados meandros pelos quais podemos ter compreensão de nós mesmos; por outro, mostra caminhos que podemos trilhar para uma estrada de superação e melhoria.

Na essência, é disso que este livro trata: a possibilidade de superação e melhoria que cada um de nós tem diante de si. O autor oferece uma análise séria e bem fundamentada, ao lado de explicações profundas sobre os mais variados aspectos da vida pessoal, social e profissional do ser humano. A partir daí, Eduardo mostra o que fazer e como agir para a conquista da evolução interior e para a mudança de atitudes.

Depois de lida, esta é uma obra para ser estudada, capítulo a capítulo, como o aluno que busca revisar, refletir e incorporar cada parte de seu conteúdo. Não se trata de um livro para ser guardado na estante, como se fora um romance que, após divertir, já não serve para muita coisa.

Para os que amam o saber e têm um projeto sincero de melhoria pessoal, o prazer deste livro está justamente nas possibilidades que descortina para o futuro e quanto é possível em termos de autoconhecimento e transformação interior.

Eduardo Ferraz conseguiu uma combinação difícil: escreveu uma obra profunda, com teorias complexas, mas de leitura leve, agradável e acessível. Essa combinação faz deste livro um valioso trabalho, capaz de atender aos mais diversos públicos, de todas as profissões e afazeres. Vale a pena ler!

JOSÉ PIO MARTINS,
Economista e reitor da Universidade Positivo.

Introdução

O desafio de encontrar o lugar ideal

Em meados dos anos 1980, quando comecei minha carreira, o desejo da maioria dos recém-formados na universidade ou que estivessem no início da vida profissional era conquistar um bom primeiro emprego e, se possível, nele permanecer até se aposentar. As empresas, mesmo as de médio porte, tinham estruturas hierárquicas bastante rígidas e muitos degraus a serem escalados. Alcançar cargos de chefia demorava muitos anos, mas a companhia cuidava e planejava sua carreira em troca de uma fidelidade quase inquestionável. Cerca de quinze anos depois se falava que o ideal seria passar por três ou quatro empregos para ganhar experiência em diferentes culturas empresariais para valorizar o passe, e as pessoas começaram a perceber que o desenvolvimento da carreira era uma responsabilidade compartilhada. Há cerca de cinco ou dez anos, os profissionais começaram a observar que as empresas não cuidavam mais de sua carreira e passou a ser normal mudar de emprego a cada dois ou três anos.

Atualmente os empregos formais e tradicionais diminuem a cada ano, a lei trabalhista começa a dar mais flexibilidade aos empregadores e aumenta muito o número de pequenos empreendedores, tanto por necessidade (há menos empregos) quanto por vocação (a pessoa quer ser dona do próprio negócio).

Também começa a ser normal o conceito de que a pessoa iniciando no mercado de trabalho terá não apenas vários empregos (ou trabalhos), mas três ou mais diferentes carreiras (uma a cada dez ou quinze anos) e trabalhará pelos próximos cinquenta ou sessenta anos, pois a expectativa de vida continuará aumentando.

Portanto, independentemente de sua idade atual, é fundamental que você tenha profundo autoconhecimento para planejar com antecedência os caminhos de sua carreira, já que as opções, que são muitas, continuarão aumentando a cada ano. Por isso é preciso ter claras respostas às seguintes perguntas:

Você conhece bem sua vocação profissional? Está satisfeito com sua carreira, seu emprego ou sua profissão atual? Tem evoluído a cada ano? Tem um planejamento realista do que fazer nos próximos anos? Consegue identificar claramente seus pontos fortes e sabe como utilizá-los? Conhece seus pontos fracos e, portanto, evita trabalhos para os quais não tenha aptidão?

Se você conhece a maioria dessas respostas, parabéns! Provavelmente este livro servirá apenas como reforço ou complementação daquilo que você já sabe.

Por outro lado, se não tem todas as respostas, analise se existem algumas das seguintes inquietações:

INTRODUÇÃO

Não consegue identificar seus principais talentos? Não tem ideia de qual carreira seguir? Começou e não terminou cursos universitários por não sentir afinidade com eles? Teve alguns empregos ou trabalhos, mas não encontrou nenhum que o realizasse? Gostaria de ganhar mais, porém não tem convicção de como conseguir? Pensa em ter o próprio negócio, no entanto não sabe por onde começar ou tem receio de abandonar um emprego seguro?

Esses questionamentos são muito comuns, e, como vimos, muitas regras que valiam há alguns anos atualmente não funcionam mais. Muita gente perdeu a referência do passado, sente insegurança diante da imprevisibilidade do futuro e sofre com as decisões do presente.

Analise se algum dos depoimentos abaixo tem alguma identificação com seu atual contexto de vida.

Emerson, o "incompreendido"

Tenho quase 40 anos e acho difícil encontrar o lugar certo. Sou extremamente franco e me lembro de ser assim desde criança. Falava pouco, mas era muito observador e, quando abria a boca, dizia exatamente o que pensava, causando inúmeras confusões. Minha família achava que minha falta de tato diminuiria com o tempo, porém essa característica foi ficando cada vez mais acentuada. Na adolescência, eu continuava agindo com uma franqueza desconcertante, o que obviamente causava problemas de relacionamento com colegas, professores, vizinhos e até com familiares.

Meus pais consultaram psicólogos e até psiquiatras, e a conclusão foi que provavelmente eu sofria de um modo leve de autismo, que dificultava a percepção das consequências de meus comportamentos.

Na faculdade, as coisas não mudaram muito. Obtinha boas notas, mas tinha enorme dificuldade nos relacionamentos, sendo taxado de individualista e antissocial. Tive alguns empregos, e, apesar de cumprir rigorosamente minhas obrigações, quase todos os dias ouvia de chefes e colegas: "Você é muito ríspido!"; "Pense antes de falar!"; "Não seja tão direto!"; "Interaja mais!"; "Seja flexível!". Acabava perdendo a paciência e pedia demissão ou era demitido.

Ouço as mesmas advertências e conselhos desde pequeno, mas até hoje não entendo como alguém que era bom filho, aluno exemplar e profissional com ótimos resultados pode ser tão criticado. Eu me sinto um peixe fora d'água e tenho dúvida se existe uma profissão em que possa aproveitar meu jeito de ser.

Joana, a "precavida"

Tenho 25 anos e uma enorme dificuldade para encontrar meu posicionamento ideal. Sou bastante detalhista, organizada e muito atenta a situações que possam causar problemas, sendo taxada, injustamente, de pessimista. Eu me acho, na verdade, precavida, pois costumo analisar primeiro todos os cenários, principalmente aqueles que podem dar errado, antes de agir.

Nasci prematura (trinta e seis semanas) e fiquei meses entre a vida e a morte. Acabei sendo superprotegida por meus pais, e, quando ficava doente (coisas normais de criança), a preocupação era tão grande que ficava isolada por dias seguidos, mesmo já estando bem. Para não estressar minha família, eu me cuidava como se fosse adulta. Previa possíveis riscos, fazia roteiros

INTRODUÇÃO

rígidos para sair de casa, evitava praticar esportes para não me machucar e cuidava até dos meus irmãos mais velhos.

Na adolescência, as coisas pioraram. Passei a ser tida como estraga-prazeres, pois me preocupava até com um simples piquenique: e se chover? E se faltar comida? E se alguém passar mal?.

Tive alguns empregos, e, quando o chefe dizia: "Vamos bater as metas", eu perguntava: "O que faremos se houver mudança econômica ou se faltarem clientes? Vamos procurar mais opções, caso algo dê errado?".

Todos me olhavam com cara de espanto e depois meu chefe dizia: "Você está desmotivando a equipe com todas essas dúvidas. Seja mais positiva".

Ouço os mesmos conselhos e advertências de pessoas que gostam de mim, mas não consigo ser "alegrinha". Será que existe uma profissão em que eu possa agir como acho que devo?

César, o "boa-praça"

Tenho 30 anos e, para minha enorme decepção, estou desempregado há quase um ano. Sempre fui extrovertido, animado, falante e carismático. Na infância, organizava as festinhas da turma, apartava brigas e procurava unir gente de todas as tribos.

Na adolescência e nos primeiros trabalhos na vida adulta, mantive esse espírito gregário e animado até com desconhecidos. Sempre participei de trabalhos voluntários em comunidades carentes e visitas a doentes abandonados em hospitais e asilos.

Nunca gostei de trabalhar em ambientes formais e dou muito valor aos relacionamentos e ao trabalho em equipe.

Para minha surpresa, comecei a ser criticado com alguma frequência por chefes e colegas: "Você parece não levar as coisas a sério"; "Não dá para resolver todos os problemas com tapinhas nas costas"; "Você mistura, além do razoável, trabalho e amizade"; "Faça mais e fale menos".

Tentei ser um pouco mais contido em meu último emprego, conversando menos e fazendo trabalhos que exigiam mais concentração. O resultado foi péssimo, pois perdi minha essência e não consegui gerar bons resultados para a empresa. Acabei sendo demitido e, provavelmente devido à crise econômica, não estou conseguindo recolocação.

Estou me sentindo desanimado e quase todos os dias me pergunto: "Como é possível alguém tão bem relacionado, carismático e bem-intencionado não conseguir emprego? Será que tenho problemas que não percebo?". O que fazer?

Clarisse, a "convicta"

Tenho 45 anos e atualmente estou passando por uma crise existencial. Terminei meu casamento, minha empresa está enfrentando dificuldades financeiras e meus sócios não me entendem.

Vim de uma família que dava muito valor à educação. Acho que tive sorte, pois, além do apoio em casa, aprendia tudo com muita facilidade, a ponto de ficar entediada com o ritmo lento dos professores e colegas. Ao mesmo tempo, sempre fui competitiva e conseguia me destacar em quase todas as atividades intelectuais, como olimpíadas regionais de matemática e redação. Consegui uma bolsa de estudos em uma escola de adolescentes superdotados e até lá me destaquei.

Consegui terminar duas graduações antes dos 20 anos e até os 35 segui carreira acadêmica no exterior, onde concluí doutorado e pós-doutorado.

Voltei ao Brasil e montei uma série de start-ups com diferentes sócios, mas infelizmente nenhuma deu certo, porque a maioria dos meus parceiros não conseguia acompanhar meu ritmo acelerado. Casei, e o problema parecia o mesmo do trabalho.

Além de raciocinar rápido, tenho valores pessoais muito rígidos, e grande parte das pessoas parece não aceitar meu jeito de ser. Sou taxada de teimosa e intransigente com frequência, mas penso, sinceramente, que é porque sou convicta e decidida. Será que seria tratada da mesma forma se eu fosse homem?

Depois de tantos reveses pessoais e profissionais, estou começando a questionar se meus valores estão corretos, mas tenho enorme dificuldade de ser flexível apenas para agradar as outras pessoas. Acho que estou muito velha para mudar, mas, se não fizer nada, acabarei sozinha em todos os sentidos.

E agora, o que fazer?

Geraldo, o "conservador"

Nunca tive moleza na vida. Tenho 20 anos, nasci em uma família muito humilde e sou o mais velho de quatro irmãos. Meu era pai era feirante, e comecei a ajudá-lo a partir dos 10 anos de idade, acordando de madrugada e trabalhando quase como adulto. Chegava em casa para almoçar e ia para escola morrendo de sono e cansaço devido à empreitada de oito horas de esforço. Essa rotina durou até os 15 anos, quando meu pai adoeceu seriamente e precisou se aposentar com salário mínimo. Todos em casa, inclusive os irmãos pequenos, ajudavam no que era possível, mas o maior salário era o meu.

Comecei a trabalhar como ajudante de motorista em uma distribuidora de alimentos e, com o passar do tempo, passei a ajudar na cobrança. Depois fui auxiliar de logística e atualmente trabalho na contabilidade. Estou no quarto semestre da Faculdade de Ciências Contábeis, mas estou insatisfeito, pois gosto mais da área de Recursos Humanos. Entretanto, tenho medo de mudar de faculdade e não me adaptar. Tenho me destacado no trabalho e recebi proposta para trabalhar em uma empresa concorrente ganhando 30% a mais, no entanto estou inseguro, pois estou na mesma companhia há quase cinco anos e sou bem-tratado.

Apesar de jovem, tenho consciência de que sou muito resistente a qualquer mudança, até porque minha família ainda depende de mim.

Como ser um pouco mais ousado sem correr riscos? Será que conseguirei me adaptar a um novo emprego ou curso? E se der errado?

Identificou-se com algum dos casos? No decorrer do livro ficará muito mais claro qual o lugar certo destes e de outros vários personagens...

Tenho analisado situações como estas faz muito tempo e comigo não foi diferente. Tinha (e tenho) o que se chamava na época de personalidade forte: exigente, crítico, impaciente, obcecado por detalhes e quase antissocial. Tive apenas um emprego formal e, obviamente, com muitas dificuldades de relacionamento.

Comecei a me aprofundar nos conceitos da neurociência comportamental, ao mesmo tempo decidi estudar psicanálise e fiz terapia cognitivo-comportamental por alguns anos.

INTRODUÇÃO

Cheguei à conclusão que, se quisesse ser bem-sucedido, deveria entender o funcionamento do comportamento humano (a começar por mim) e, principalmente, construir uma carreira compatível com meu jeito de ser. Comecei a ministrar treinamentos, depois a prestar consultoria em empresas de todos os portes e escrevi cinco livros (incluindo este), com o seguinte foco: como obter o máximo desempenho profissional aproveitando as características mais marcantes de cada um?

Ao escolher a profissão adequada, muitos de meus comportamentos antes considerados "defeitos" passaram a ser qualidades, e as pessoas começaram a mudar os adjetivos. De exigente, passei a ser tido como "decidido". O senso crítico virou "franqueza". A impaciência tornou-se "senso de urgência". Minha obsessão por detalhes transformou-se em "exigência por resultados". Meu estilo antissocial virou motivo de piadas, às vezes contadas por mim mesmo. A verdade é que minha personalidade mudou pouco, mas minha maneira de aplicá-la mudou muito.

Não é fácil ser mandão, impaciente, exigente ou muito crítico, mas tudo isso pode funcionar perfeitamente bem se você tiver um trabalho em que possa ser valorizado sendo assim. Depois de todo esse tempo de análise, estudo e experiência prática como consultor, cheguei à conclusão de que muita gente, assim como eu no passado, está insatisfeita ou frustrada com sua vida profissional por não saber se está no lugar mais adequado e que isso acontece em todos os estágios da carreira:

- Pessoas mais maduras se perguntam com frequência se não está na hora de ter uma segunda profissão, abrir o próprio negócio, usar sua expertise para prestar consultoria, dar aulas ou aconselhar os mais jovens.

- Profissionais com bom histórico, que sempre trabalharam com empenho e comprometimento, sentem-se pouco realizados e se questionam sobre a viabilidade de dar uma guinada na carreira.
- Jovens que, mesmo tendo sido bons alunos, feito uma ou mais faculdades e pós-graduações, muitas vezes veem-se em posições, empregos ou profissões que não permitem que seus talentos ou sua formação sejam aproveitados ao máximo.
- Recém-saídos do ensino médio ficam extremamente angustiados com a escolha da profissão, sem uma ideia clara de qual vestibular prestar ou qual caminho profissional iniciar.

Essa angústia é gerada pelo autoconhecimento limitado, que induz falsas expectativas, decisões equivocadas e, consequentemente, resultados ruins.

Ao estudar como se formou sua personalidade, você verá que existem comportamentos que podem ser alterados e outros quase imutáveis. Entender o que é possível mudar e o que deve ser aceito será fundamental, pois você poderá usar sua energia para obter o melhor de si, sem desperdiçá-la com o que não vale a pena.

Por exemplo: imagine que você dirige um carro com um motor muito potente e que, no caminho até seu destino, há um morro íngreme com uma trilha de terra esburacada e enlameada.

Se tentar subir o morro, você precisará engatar a primeira marcha, gastar uma quantidade enorme de combustível, desgastar o motor e os freios, forçar a estrutura mecânica e, mesmo com todo esse esforço, provavelmente vai encalhar.

Se tivesse um mapa, você saberia que seria muito melhor contornar esse morro, mesmo que a distância percorrida até seu destino seja mais longa.

Em outra hipótese, quando você dirige em uma estrada plana, bem conservada e conhecida, obtém desempenho máximo, em quinta marcha, com baixo consumo de combustível, e chega rapidamente ao destino, sem forçar seu carro.

Isso significa que, se você está em uma situação em que precisa usar características de personalidade que não possui naturalmente, gastará muita energia e seu desempenho será pífio. Quando você está em uma posição em que pode usar seu estilo natural, seu "veículo mental" se desgasta pouco e sua produtividade aumenta muito.

Com técnicas baseadas nos conceitos mais modernos da neurociência comportamental e da psicologia aplicada, e a partir de minha experiência em gestão de pessoas, oferecerei instruções claras, testes objetivos e metodologia prática que o ajudarão a escolher empregos, atividades e profissões mais compatíveis com sua personalidade.

Talentos, habilidades e experiências só são úteis se você estiver no lugar certo!

Segue um breve resumo dos nove capítulos do livro:

- No capítulo 1, veremos cinco vieses cognitivos ou filtros mentais (distorcem a percepção da realidade) que são mais fortes em sua personalidade, e como agir para neutralizá-los.
- No capítulo 2, entenderemos os dois principais mecanismos de ação do cérebro (sistema automático e sis-

tema analítico) e o que fazer para usar melhor sua estrutura mental.
- No capítulo 3, analisaremos seu perfil comportamental (Teoria DISC) para entender e aproveitar as características mais marcantes de sua personalidade e onde você poderá obter mais destaque.
- No capítulo 4, estudaremos quais fatores proporcionam a satisfação de seus anseios profissionais (Teoria dos Motivadores) e quais as consequências de ignorar ou saciar suas motivações.
- No capítulo 5, identificaremos os talentos e atividades nos quais você se destaca naturalmente. Veremos como encontrar o posicionamento ideal para que seus pontos fortes tenham ainda mais impacto.
- No capítulo 6, estudaremos as dez atitudes mais relevantes para o sucesso profissional e como você poderá alavancar sua carreira utilizando melhor essas atitudes positivas.
- No capítulo 7, analisaremos algumas características de sua personalidade que podem colocar sua carreira em risco e, principalmente, o que fazer para evitar que isso aconteça.
- No capítulo 8, entenderemos por que é tão difícil aprender algo novo e por que isso parece tão fácil depois que você priorizar o que realmente vale a pena ser aprendido.
- No capítulo 9, você terá um resumo de toda a teoria apresentada ao longo do livro e os dez passos para se tornar a pessoa certa no lugar certo.

Pontos importantes:

1. Usarei uma metodologia baseada no que pratico há mais de trinta anos em consultorias e treinamentos.

2. As histórias e personagens são baseadas em situações reais que observei ou pelas quais passei. Entretanto, mudei os nomes e, em alguns casos, o ramo do negócio, para que as pessoas não possam ser identificadas.

3. Para facilitar a leitura, haverá diferenciação na apresentação (inclusive com contrastes e letras) da teoria e dos casos. Assim, será muito mais fácil realizar uma releitura em que você queira acessar apenas o conteúdo teórico ou relembrar os casos.

4. Desenvolvi os primeiros modelos dos testes que você preencherá quando comecei minha carreira de consultor. Com o passar dos anos, eles foram sendo aprimorados mediante centenas de *feedbacks* até chegar à versão final disponível neste material.

Boa leitura e mãos à obra!

1
Vieses cognitivos: os filtros que distorcem a realidade

Poucos se dão conta de que, inconscientemente, distorcemos os fatos porque enxergamos o mundo através de filtros que nos levam a perceber as informações de maneira parcial. Isso significa que vemos, sentimos e interpretamos as coisas diferentemente do que acontece na realidade.

Esse fenômeno foi descrito e largamente estudado pelo ganhador do Prêmio Nobel de Economia de 2002, o psicólogo Daniel Kahneman, em mais de trinta anos de análises sobre como as pessoas tomam decisões. Em sua tese vencedora do prêmio, Kahneman diz que quase todas as pessoas têm percepções distorcidas de como as coisas são, uma vez que o cérebro humano é contaminado por expectativas e percepções irrealistas, e conclui que as falhas nos processos decisórios são regra, e não exceção.

Dito de outra maneira, criamos roteiros mentais falhos, que organizam nossas tomadas de decisões. O problema é que, muitas vezes, um roteiro equivocado nos leva a caminhos nos quais perdemos muito tempo – em alguns casos, anos –, ao insistirmos em empregos ruins, em profissões para as quais não temos talento ou em negócios inviáveis. Também podemos perder excelentes oportunidades por não avaliá-las no *timing* correto.

Essas distorções da realidade foram chamadas por estudiosos como Kahneman de *vieses cognitivos*. Cada viés ou realidade distorcida nos faz perceber as coisas como veremos a seguir.

O viés do pessimismo

Algumas pessoas (felizmente, a minoria) tendem a ser negativas em relação a quase todos os aspectos da vida, acreditando que, se algo pode dar errado, fatalmente dará. Elas se culpam, inclusive, de coisas sobre as quais não têm a menor responsabilidade.

Como esses indivíduos enxergam muito mais o lado ruim dos acontecimentos, eles se tornam negativos e ficam presos em um círculo vicioso, no qual pensamentos negativamente distorcidos causam sentimentos ruins, que acabam potencializando ainda mais seu mal-estar.

Joaquim tem 20 anos, é extremamente tímido e sente enorme dificuldade para aprofundar relacionamentos. Não consegue identificar seus pontos fortes, ressente-se de seus pontos fracos e parece se penalizar por cada um deles. Sente-se deslocado e não consegue parar em qualquer emprego por mais de seis meses. Ele culpa a falta de motivação nos estudos quando criança, o mau relacionamento com os pais adotivos (foi adotado aos 5 anos de idade) e sua personalidade retraída por suas dificuldades pessoais e profissionais. Toda vez que algo dá errado, diz com convicção: "Já estou acostumado a me dar mal". Essa postura afasta ainda mais as oportunidades que aparecem.

Quem é muito pessimista acredita que não adianta tentar ações diferentes e que tudo sempre dará errado, o que retroalimenta seu modo de enxergar o mundo. O risco é que, depois de algum tempo observando somente o lado ruim de tudo, a pessoa tende a entrar em depressão, com complicações ainda maiores para sua vida e para a de quem está ao seu redor.

Minhas sugestões para quem é assim:

1. Procure usar sua percepção de riscos para se prevenir e trace cenários de curto prazo em que haja soluções positivas, mesmo em situações difíceis. Isso quase certamente vai deixá-lo um pouco mais tranquilo e seguro.

2. Viva um desafio de cada vez: "A cada dia basta sua agonia". Evite antecipar o sofrimento por situações futuras improváveis, que só causam sofrimento.

3. Veja o lado bom dos acertos que certamente você já obteve e confie mais em sua capacidade de resolver problemas.

O viés do otimismo exagerado

Ao contrário dos pessimistas, muitas pessoas distorcem positivamente as avaliações sobre si mesmas para se sentirem mais competentes e seguras. Os muito otimistas acreditam que são mais saudáveis, capazes, inteligentes, honestos, trabalhadores e justos do que os demais.

O lado ruim do pensamento excessivamente positivo é objeto de estudo da neurocientista Tali Sharot. Ela demonstra que muita gente acredita sinceramente que não ficará doente, nunca perderá o emprego e viverá até vinte anos mais do que a expectativa de vida das pessoas que moram no mesmo país.

"É como se as estatísticas não valessem para elas", afirma a pesquisadora da University College London em entrevista ao jornal *Folha de S. Paulo*. "Quem é otimista demais não cuida tão bem da saúde e negligencia aspectos importantes, como estudo, esforço e disciplina, por achar que, no futuro, tudo sempre se arrumará", conclui Sharot.

Carina tem 30 anos, é alegre e benquista por todos com quem convive. Como meta profissional, pretende passar em um concorrido concurso público. Ela não estuda regularmente há dois anos, não tem emprego fixo (faz alguns bicos como consultora de moda) e mora no apartamento dos pais idosos, que já gastaram quase todas as economias e não têm renda extra além da aposentadoria. Apesar da grande concorrência, ela se sente predestinada a ser feliz e acha que passará no concurso mesmo estudando pouco. Além disso, está com sobrepeso de 20 quilos, fuma um maço de cigarros por dia e, quando questionada pelos maus hábitos, diz que ainda é jovem para se privar das coisas boas da vida, e que conseguirá entrar em forma e parar de fumar quando quiser. Acha também que, por ser gentil e calorosa com todos à sua volta, receberá da vida a merecida retribuição.

Quem enxerga a realidade com o viés do otimismo exagerado pode viver tranquilamente no presente, mas, no longo prazo, poderá passar por dificuldades, pois o mundo "cor-de-rosa" acabará não se concretizando se não houver o devido esforço.

Minhas sugestões para quem tem esse viés em alta intensidade:

1. É melhor ser otimista do que pessimista, mas não abuse. Seja um pouco mais precavido em situações de risco.
2. Converse com pessoas que já alcançaram o que você deseja. Elas certamente dirão que o sucesso obtido foi muito mais resultado de esforço do que de sorte. Isso pode servir de exemplo para que você continue sendo positivo, mas com mais chances de sucesso se tiver um bom roteiro a ser seguido.
3. Mantenha a autoconfiança, mas esteja preparado. Boas oportunidades costumam aparecer, mas somente usufrui delas quem tem mais ferramentas para aproveitá-las.

O viés da confirmação

Muita gente busca, mesmo de modo inconsciente, evidências que confirmem aquilo em que acredita e tende a ignorar ou minimizar informações que contrariem suas crenças e convicções. "Bom senso é a qualidade das pessoas que pensam como nós" é uma frase do ex-presidente da IBM, Lee Iacocca, que resume com humor esse viés, que tem relação com a teimosia.

Provavelmente isso ocorre para que nos sintamos mais confortáveis com nossas decisões, mesmo que algumas delas nos prejudiquem. Vários estudos indicam que procuramos informações, conhecimentos e teses que validem nossos comportamentos e paradigmas mentais.

Se alguém acredita, por exemplo, em vida extraterrestre inteligente, qualquer nova foto de uma suposta "aparição" é motivo de satisfação, por reforçar essa crença. Da mesma maneira, se a foto for desqualificada por alguém com alguma notoriedade, confirmará a opinião daqueles que pensam o contrário.

Esse viés nos faz acreditar, ingenuamente, que os outros veem os fatos da mesma maneira como nós os vemos e, portanto, concluímos que pessoas "bem informadas" deveriam concordar conosco.

Alisson tem 25 anos e, apesar de ter excelente currículo acadêmico e inteligência acima da média, já foi demitido quatro vezes nos últimos cinco anos por impor suas ideias de maneira intransigente, sendo, segundo seus antigos colegas, um sujeito brilhante, mas arrogante. Em todas as demissões, alegou que a culpa não era dele, e sim dos chefes ou dos colegas medíocres, por não saberem aproveitar sua expertise no assunto. Ele realmente tem ótimo poder de análise e muita rapidez de raciocínio. Entretanto, não tem paciência para argumentar e defender seus pontos de vista, tendendo a ser grosseiro com as pessoas que dele discordam. O problema é a forma, e não o conteúdo de seus posicionamentos.

Inconscientemente, Alisson continua procurando motivos que confirmem seus pontos de vista sem mudar em suas atitudes. Ele está pensando em trabalhar por conta própria, mas tem consciência de que precisará mudar alguns comportamentos.

Pessoas assim gostam de ter a última palavra e costumam ser inflexíveis em seus pontos de vista. Quem atua dessa maneira pode sofrer consequências negativas na carreira por manter posições por teimosia.

Minhas sugestões para quem tem este viés em alta intensidade:

1. Seja um pouco mais flexível. Ter convicções é importante, mas é fundamental aumentar a flexibilidade mental para aceitar novos pontos de vista, que muitas vezes são diferentes de nossas crenças atuais.

2. Faça um bom curso sobre negociação para melhorar seu poder de convencimento. Muitas vezes boas técnicas ajudam a diminuir atritos desnecessários.

3. Procure não demonstrar arrogância. Quem tem opinião formada, mesmo que bem fundamentada, costuma impor seus argumentos e pode criar resistência.

O viés da aversão à perda

Para muita gente, o medo de perder o que já tem é muito mais forte do que o desejo de conquistar um posicionamento mais vantajoso. Quem é assim tem grande tendência a permanecer onde está, mesmo ao receber boas propostas de trabalho em outro lugar, por temer que sua situação profissional – às vezes ruim – fique ainda pior caso resolva mudar de emprego ou de função.

A reação mais comum é postergar decisões, esperando que as coisas se resolvam por inércia. A consequência, com frequência, é a estagnação e a perda de boas oportunidades profissionais.

> ***Bernardo*** tem 32 anos e sempre foi bastante conservador na tomada de decisões. Casou-se com a primeira namorada, está no mesmo emprego há mais de dez anos, nunca compra nada a prazo, é bastante econômico e tem uma vida estável e regrada.
>
> Ele trabalha em uma empresa que, apesar da boa reputação, não tem planos de expansão; sua remuneração segue a média de mercado e seu chefe parece acomodado. Bernardo recebeu uma proposta para trabalhar em uma cidade a 50 km de distância de onde mora (atualmente pode ir a pé para o trabalho), em uma companhia que está crescendo bastante, e com salário 30% mais alto. Entretanto, ele tem medo de mudanças e reluta em aceitar a oportunidade, que, apesar do risco, traria novas perspectivas. Bernardo disse aos amigos que, "quanto maior a mudança, maior é o risco" e, por isso, está pensando em recusar a proposta.

Quem tem esse viés provavelmente perde oportunidades por sentir medo exagerado de tudo o que é novo, tendendo a se acomodar. Quando os outros percebem essa postura, evitam convidar a pessoa para novos desafios por achar que ela não enfrentará bem as mudanças.

Minhas sugestões para quem tem este viés em alta intensidade:

1. Analise os prós e os contras de boas oportunidades com profundidade e tenha como critério aceitar as que têm o dobro de "prós". Com isso, aumentarão as chances de sucesso, ainda com baixo risco.

2. Não se culpe tanto por escolhas equivocadas, mas aprenda com elas. Pequenos erros fazem parte do aprendizado e serão úteis no futuro.

3. Seja um pouco menos conservador e, aos poucos, faça pequenas mudanças em sua rotina, como estudar assuntos que não fazem parte de seu dia a dia ou começar um novo hobby.

O viés da sensação de injustiça

Algumas pessoas se sentem injustiçadas ao analisar colegas que recebem boas propostas de trabalho e promoções, ou que têm sucesso nos negócios. São pessoas que sofrem por uma competição aparentemente injusta a respeito das chances que supostamente somente os outros recebem. Com isso, muitas vezes, em vez de lutar por reconhecimento, preocupam-se mais com a "injustiça" do sucesso alheio do que com o próprio desenvolvimento.

Regina, de 35 anos, tem personalidade marcante e gênio explosivo. Diz que odeia injustiças e sente-se vítima de perseguição nos antigos empregos por falar o que pensa.

No trabalho atual não está sendo diferente. Ela foi tomar satisfação com o gerente do departamento de recursos humanos. Estava furiosa e alegava que, mesmo trabalhando bastante, há quatro anos não recebia nenhum aumento real de salário, enquanto a maioria de seus colegas já tinha recebido incrementos ou promoções.

Ela se julgava perseguida e considerava que os outros apenas faziam política da boa vizinhança, aceitavam tudo sem reclamar e, por isso, ganhavam mais ou eram promovidos.

O gerente de RH analisou a situação com o chefe dela e alguns colegas, e constatou que, apesar de ser boa funcionária, ela não se dedicava tanto quanto as duas pessoas que tinham sido promovidas, não participava de todos os treinamentos oferecidos pela empresa e tinha resultados abaixo dos obtidos pelos três colegas que tinham recebido aumento de salário. Ela discordou veementemente da avaliação e pediu demissão.

O problema desse viés é que, quando algo dá errado, a pessoa tem tendência de culpar os outros, ou as circunstâncias externas, e dificilmente assume parte da responsabilidade por eventuais falhas. É bastante comum julgar duramente o comportamento alheio e encontrar justificativas para as próprias ações equivocadas.

Em vez de dar o devido crédito ao esforço ou ao talento alheio, muitas pessoas perdem um tempo enorme procurando razões – muitas vezes ilusórias – para os próprios reveses.

Quem vê a realidade por esse prisma precisa desenvolver uma percepção mais realista dos fatos, procurando responder sinceramente a questões como: Por que sou perseguido? Quais os resultados que produzi nos últimos doze meses? Por que as pessoas não reconhecem minhas realizações?

Minhas sugestões para quem tem este viés em alta intensidade:

1. Analise com sinceridade se você realmente é perseguido no trabalho ou se simplesmente não está se adequando à cultura da empresa. Se for perseguição, mude de emprego. Senão, procure se adaptar às regras para melhorar suas chances de reconhecimento.

2. Procure comparar seu desempenho com o dos melhores, não com o dos medíocres. Isso lhe dará uma dimensão mais realista do que precisa ser feito.

3. Faça a política do bem. Procure contribuir, de verdade, com sua equipe de trabalho e se empenhe em gerar ótimos resultados. O reconhecimento virá com o tempo.

Teste dos vieses

Para saber quais vieses você utiliza para interpretar a realidade, elaborei um teste. Os vieses variam bastante de pessoa para pessoa, e é fundamental que você analise, com muita sinceridade, quais estão afetando seu dia a dia.

Para realizar o teste, dê uma nota de 1 a 4 para a intensidade com que cada pensamento ou aspecto aparece em suas tomadas de decisão e, depois, faça a soma.

Notas

1. Quase nunca tenho esse pensamento.
2. Tenho esse pensamento de vez em quando.
3. Quase sempre me sinto atuando com base nesse pensamento.
4. Tenho esse pensamento o tempo todo e em qualquer circunstância.

Viés do pessimismo

"A vida é dura." _____
"Meu futuro será complicado." _____
"Nada é fácil para mim." _____
"Tenho poucas oportunidades." _____
"Sou azarado." _____
Soma: _____

Viés do otimismo exagerado

"No fim, tudo sempre dará certo." _____
"Azar é coisa que acontece com os outros." _____
"Eu tenho sorte." _____
"Quem espera sempre alcança." _____
"Tenho pensamentos positivos." _____
Soma: _____

Viés da confirmação

"Eu não sou teimoso, sou decidido." _____
"Tenho poder de análise acima da média." _____
"Costumo ser inflexível em assuntos que domino." _____
"Não me preocupo com a opinião dos outros." _____
"Sou difícil de convencer." _____
Soma: _____

Viés da aversão à perda

"Não troco o certo pelo duvidoso." _____
"Sou econômico e previdente." _____
"Só mudo de emprego quando tiver 100% de certeza." _____
"Sou conservador na tomada de decisões." _____
"O seguro morreu de velho." _____
Soma: _____

Viés da sensação de injustiça

"Sinto-me rejeitado no trabalho." _____
"Costumo ser injustiçado." _____
"Sou ignorado por não participar de panelinhas." _____
"Meu valor não é reconhecido." _____
"Mereço mais do que tenho." _____
Soma: _____

Resultados

5 a 9 pontos: Você tem muito pouco desse viés.
10 a 14 pontos: Você tem esse viés com média intensidade.
15 a 19 pontos: Você tem esse viés com alta intensidade.
20 pontos: Você tem esse viés com altíssima intensidade.

A consequência dos vieses

Todos esses vieses ou percepções distorcidas nos levam a criar falsas expectativas, subestimar riscos ou tomar decisões equivocadas. Ilusões, sejam quais forem, acarretam uma imensa dificuldade para encontrarmos o lugar certo, pois geram expectativas irrealistas.

Isso faz com que as pessoas percam muito tempo por não perceberem que estão no lugar errado ou por não identificarem quais aspectos em sua personalidade estão atrapalhando sua carreira.

Os casos de fracasso profissional que mais tenho observado têm forte relação com as distorções da realidade geradas pelos vieses. Também tenho acompanhado situações em que a interpretação mais realista de si e dos fatos tem alavancado a vida profissional de muitas pessoas que estavam estagnadas na carreira.

Identificar e diminuir a influência de seus vieses lhe dará uma percepção mais realista e, portanto, mais condições de se posicionar num lugar que tenha relação com sua personalidade e seu estilo de vida.

No próximo capítulo, você entenderá os mecanismos que influenciam suas decisões, para conseguir neutralizar ou diminuir o efeito dos vieses em seu dia a dia.

2
Quem comanda nossas decisões?

De onde vêm os vieses que condicionam nossa percepção distorcida? Por que temos reações que aparentemente não controlamos? Como e o que fazer para mudar comportamentos indesejados?

A resposta a todas essas questões está em nosso cérebro. Compreender seus dois grandes mecanismos de funcionamento é a chave para uma vida mais consciente e produtiva.

Grande parte de nosso cérebro, por ser muito antiga, continua agindo, ainda hoje, como há milhões de anos. Nosso comportamento, portanto, tem um poderoso componente automático, que atua independentemente de nossa vontade consciente, e um frágil componente racional, que age segundo nossa escolha.

Cientistas renomados, entre eles Daniel Kahneman, resumem o funcionamento do cérebro em dois grandes modos de ação: o *sistema automático* e o *sistema analítico*.

- O **sistema automático** ou **involuntário** é exercido pelas partes mais antigas, grandes e volumosas do cérebro, ou seja, o tronco encefálico, o sistema límbico e uma parte do córtex. Ele comanda nosso funcionamento inconsciente e, segundo se estima, é responsável por cerca de 95% de nossas ações. Portanto, exerce influência muito maior do que imaginamos em nossa vida.
- O **sistema analítico** ou **voluntário** é exercido pelo nosso córtex pré-frontal e é responsável pela tomada de decisões racionais. Estima-se que temos consciência de apenas 5% do funcionamento cerebral, ou seja, proporcionalmente, poucas de nossas ações são de fato tomadas de maneira lógica e racional.

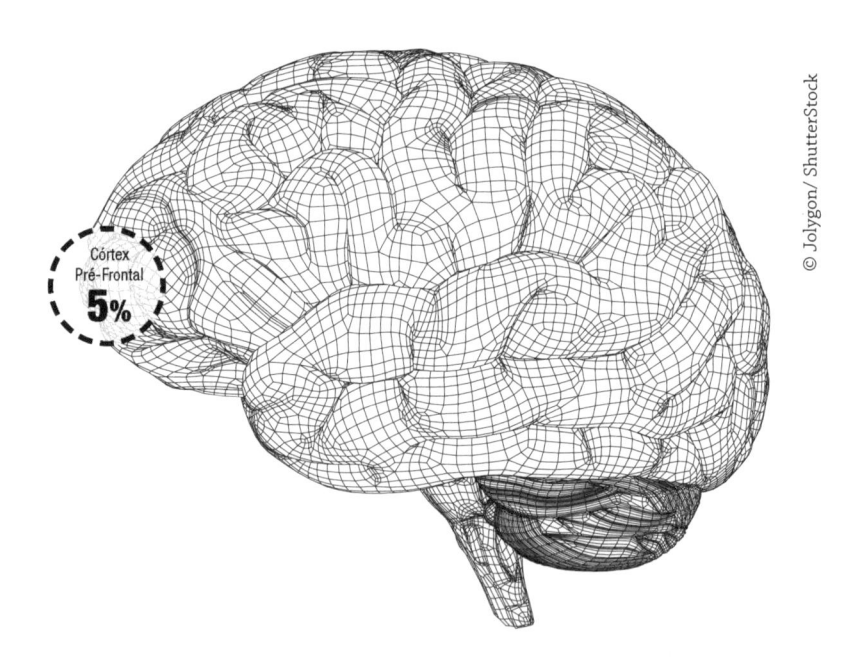

Figura 1. O cérebro humano, com destaque para a proporção do córtex pré-frontal.

O elefante e o condutor

O psicólogo social Jonathan Haidt criou uma metáfora genial ao explicar que os dois sistemas funcionam como a imagem de um elefante com um minúsculo condutor sentado em suas costas. O sistema automático seria um poderoso elefante, que age sempre por instinto e de maneira inconsciente. O sistema analítico seria o condutor, um sujeito bem-intencionado, mas frágil.

O condutor é um analista consciente e racional, que tenta desesperadamente assumir o controle do elefante, que, por ser muito mais poderoso, ignora o condutor e faz o que deseja na maior parte do tempo. Pesquisadores, como Richard Thaler (outro ganhador do Prêmio Nobel de Economia) e Carl Sunstein, resumem da seguinte maneira os dois modos de funcionamento do cérebro.

Sistema automático (elefante):

- é inconsciente;
- é irracional;
- é instintivo;
- é muito antigo;
- é intuitivo;
- é rápido;
- não requer esforço;
- faz muitas coisas ao mesmo tempo;
- nunca se cansa.

Sistema analítico (condutor):

- é responsável pelo pensamento consciente;
- é racional;

- é muito recente;
- é dedutivo;
- é lento;
- necessita de muito esforço;
- faz uma coisa de cada vez;
- cansa-se rapidamente.

A força de vontade e o autocontrole

Na disputa pelo controle, apesar do esforço do condutor, na maioria das vezes quem decide o que fazer é o irracional elefante. Jonathan Haidt explica que há um "gostômetro" que está sempre funcionando na mente humana, gerando julgamentos, de preferência em relação ao que experimentamos. Isso significa que o elefante tem uma opinião preestabelecida sobre quase tudo que nos acontece no dia a dia, sendo inclusive o responsável por nossos vieses.

Por mais que nosso condutor tente não ser tão pessimista ou irrealisticamente otimista, ou não ter tanta aversão à perda, o elefante mantém seu padrão de pensamentos.

É difícil para o sistema analítico vencer o sistema automático somente com a força de vontade, e, na maioria das vezes, é o elefante que domina o condutor. É o sistema automático quem decide, quase instantaneamente, o que é bom ou ruim, bonito ou feio, certo ou errado, divertido ou chato, interessante ou entediante. É por isso que tentamos mudar maus hábitos e, poucas semanas (ou dias) depois, estamos de volta ao antigo modelo. O condutor planejou uma mudança de rota mais inteligente, porém o elefante insiste em trilhar o caminho que percorre há anos. Vamos a um exemplo.

Um amigo resolveu fazer um regime e me disse: "Estou 30 quilos acima do peso ideal, e esse excesso me traz dificuldades para dormir, cansaço frequente, insatisfação com a aparência, problemas circulatórios, risco de diabete, colesterol alto etc. Portanto, semana que vem começo um regime sério!".

Ele foi ao médico, contratou um nutricionista para preparar sua dieta, inscreveu-se na academia do bairro (e pagou pelo ano todo), encheu a geladeira de frutas, verduras e legumes, doou todos os doces que tinha em casa e marcou dia e hora para começar o regime.

Quem planejou todo esse programa foi seu condutor, sinceramente disposto a permanecer por, no mínimo, um ano na dieta, emagrecer 30 quilos, nunca mais engordar e manter uma vida saudável. O problema é que ele se "esqueceu" de combinar com o elefante, que, desde a infância, sempre adorou comer torresmo, chocolate, feijoada, lasanha, bife à milanesa, coxinha, bolo, brigadeiro, sorvete, churrasco, além de cerveja e caipirinha para acompanhar.

Na primeira semana comendo alface, cenoura, peito de frango grelhado, pão integral e um pouquinho de arroz, o elefante do meu amigo se rebelou, teve uma crise de ansiedade e devorou, no mesmo dia, churrasco, um balde de sorvete e três caixas de chocolates...

O condutor ficou arrasado com o fracasso, e o elefante, com a barriga cheia e feliz, pois sabe que amanhã a comilança continuará. Meu amigo só se livrou do excesso de peso alguns anos depois, e aos poucos, após ter entendido como funcionavam seus dois sistemas de ação. Procurou primeiro treinar o cérebro antes de agir.

Enquanto não entendermos tais mecanismos, as dietas de emagrecimento acabarão precocemente, as tentativas de largar o cigarro ou outro vício em geral falharão, a intenção de frequentar a academia e melhorar a forma física não perdurarão e as aulas de inglês pagas previamente serão abandonadas antes de qualquer resultado aparente.

Para compreender por que isso acontece e analisar os limites do autocontrole, resumirei um caso descrito por Charles Duhigg em *O poder do hábito*. Em meados da década de 1990, um grupo de doutorandos de Psicologia da Case Western University, nos Estados Unidos, liderado por Mark Muraven, fez um experimento no qual uma sala foi preparada com um espelho falso a fim de observar individualmente o comportamento de 67 voluntários, estudantes de Psicologia.

O experimento consistia em colocar um prato cheio de rabanetes e, ao lado, outro prato com biscoitos de chocolate quentinhos. Os voluntários recrutados deveriam pular uma refeição, ou seja, deveriam estar com muita fome para participar do teste. Um pesquisador dizia para cada estudante: "Este é um teste de percepções gustativas", o que não era verdade, pois o real objetivo era obrigar os estudantes a testar sua força de vontade.

Metade dos voluntários tinha de ignorar os rabanetes e comer os doces, e a outra metade deveria comer os rabanetes e não tocar nos biscoitos. Obviamente, degustar os biscoitos não exigia nenhum esforço, mas ingerir os amargos rabanetes era desagradável, e muitos voluntários ficaram claramente irritados com essa missão.

Após a ingestão da refeição – que durava cerca de cinco minutos –, o pesquisador entrava na sala e dizia que, antes de continuar a experiência com outros alimentos, cada estudante deveria montar um quebra-cabeça para dar tempo de dissipar o sabor anterior. Quem quisesse desistir poderia tocar um sino que estava na mesa. Na verdade, essa era a parte realmente importante do experimento, uma vez que o quebra-cabeça era impossível de ser resolvido. O que os cientistas queriam de fato testar era quanto tempo cada grupo ficaria concentrado na resolução do problema.

Será que os voluntários que "gastaram" sua força de vontade comendo rabanetes teriam um desempenho parecido com os felizes comedores de biscoitos?

Os pesquisadores cronometravam o tempo e observavam as reações através do espelho falso. Era nítido que o pessoal dos biscoitos estava mais relaxado e à vontade, testando diferentes formas de resolver o quebra-cabeça impossível. O tempo médio no qual eles ficaram trabalhando antes de desistir foi de **dezenove minutos.**

A turma dos rabanetes, por sua vez, parecia muito mais irritada e frustrada com a complexidade do problema e trabalhou em média apenas **oito minutos** antes de desistir.

Passados vinte anos desse primeiro experimento, Muraven, em entrevista a Duhigg, afirmou que mais de duzentas variações do mesmo experimento foram realizadas por vários cientistas em diferentes países, e todas chegaram às mesmas conclusões: "A força de vontade funciona como se fosse um músculo que cansa quando faz determinado esforço. Por isso, sobra menos energia para fazer outras coisas depois de tal esforço".

A conclusão dos pesquisadores é que, quando somos obrigados a mudar radicalmente algum aspecto da personalidade – mesmo por poucos minutos –, ou realizar tarefas para as quais não temos a menor aptidão, gastamos uma enorme energia, que é consumida rapidamente. Isso ocorre, por exemplo, quando uma pessoa sociável e falante é orientada a permanecer calada e concentrada em tarefas técnicas o dia todo em seu ambiente de trabalho. O esforço de permanecer quieta e concentrada é extenuante. O oposto também é verdadeiro: uma pessoa tímida fica exaurida ao ter de agir como relações-públicas ao receber visitantes na empresa, mesmo que por poucas horas. Provavelmente você já sentiu o enorme desgaste que é tentar desempenhar um papel que não tem nada a ver com seu estilo natural de ser.

Para entender melhor quais estratégias usar para aumentar o poder do condutor sobre o elefante, analisaremos a formação de nossa personalidade e o motivo de nosso sistema automático ser tão mais predominante do que o sistema analítico.

Como nossa personalidade é construída

Nossos comportamentos são o resultado da interação da herança genética com o meio ambiente em que vivemos, principalmente nos dez primeiros anos. O geneticista Matt Ridley afirma que "todo comportamento tem um componente genético, mas sua manifestação depende de fatores ambientais. Genética e sociedade interagem para moldar o jeito de ser de cada pessoa". Estima-se que as principais características da personalidade são, em média, 50% herdadas e 50% influenciadas pelo ambiente.

Explico detalhadamente em meu livro *Vencer é ser você*, e aqui vou resumir que nascemos com cerca de 100 bilhões de neurônios, os quais recebem e processam as informações entre si, formando conexões chamadas sinapses. Essas conexões são vitais para o desenvolvimento, o aprendizado e a formação da personalidade.

No cérebro infantil, os neurônios lançam ramificações para gerar a maior quantidade possível de conexões entre si. Quando a criança passa repetidamente por uma experiência – seja ela agradável ou desagradável –, os neurônios criam novas sinapses, formando caminhos neurais que afetarão seu comportamento, não somente no presente, mas também no futuro.

Sempre que uma experiência é repetida, as sinapses relacionadas a ela são amplificadas e fortalecidas. Ao mesmo tempo, estruturas especiais chamadas células da glia reforçam as redes neurais mais fortes com uma camada de gordura, que funciona como o revestimento plástico de um fio elétrico, isolando as conexões e tornando-as ainda mais poderosas. Os caminhos neurais que não transportam sinais começam a enfraquecer e morrem, deixando o cérebro apenas com as estruturas mais eficientes.

No início da vida, esses caminhos praticamente inexistem e são como um rastro na areia em uma praia. Mas, quando na infância passamos pela mesma experiência diversas vezes, o comportamento começa a criar um padrão, formando o equivalente a uma estrada asfaltada, ou um novo aspecto da personalidade. Isso significa que, nos primeiros anos de vida, formam-se as principais trilhas de aprendizagem no cérebro. Logo, repetidas experiências na infância contribuem para a formação de traços específicos da personalidade.

Assim, conforme os anos se passam, nosso elefante vai ficando com características cada vez mais marcantes, definidas e relativamente estáveis. Quanto mais o tempo passa, mais automáticos tendem a ser nossos:

- preconceitos;
- julgamentos;
- vieses;
- comportamentos familiares;
- comportamentos profissionais;
- receios;
- estilos de vida;
- gostos musicais;
- alimentos preferidos (e odiados);
- atração e repulsão por determinadas pessoas;
- habilidades.

Por isso é tão importante o condutor ter profundo conhecimento de como funciona seu elefante, não para mudá-lo radicalmente, mas para colocá-lo em um caminho mais produtivo. **Sua personalidade mudará pouco, mas sua maneira de aproveitá-la pode mudar muito**. Para que você consiga esse autodomínio, será importante conhecer as principais camadas que formam sua personalidade.

O *iceberg* da personalidade

A personalidade de qualquer pessoa é extremamente complexa, pois tem várias camadas, algumas superficiais e outras profundas. Para facilitar o entendimento, imaginemos que sua personalidade seja um *iceberg* (metáfora criada por Sigmund Freud há mais de cem anos), com uma pequena parte visível e outra grande parte submersa. O *iceberg* da personalidade tem, pelo menos, cinco grandes camadas ou dimensões:

Perfil

Motivadores

Talentos

Atitudes

Pontos limitantes

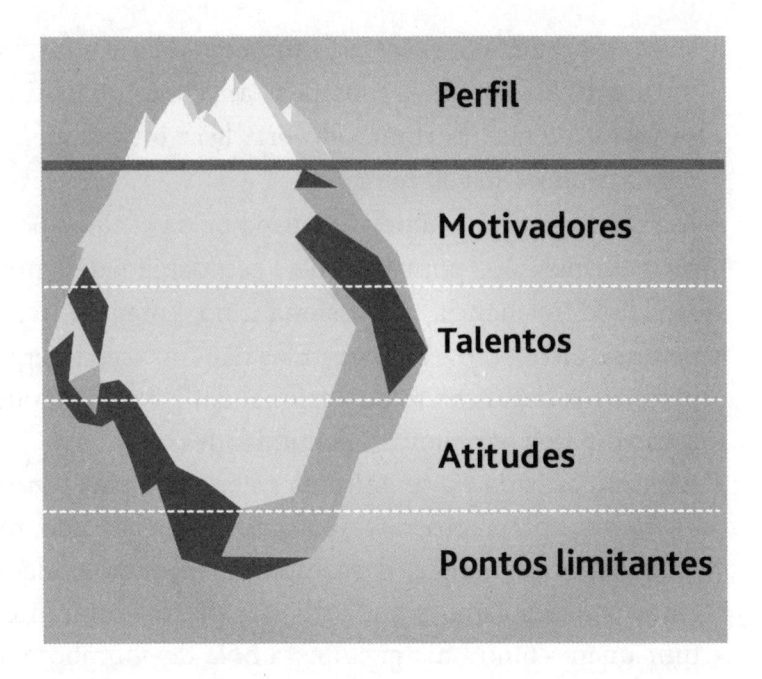

- A primeira camada é visível e, portanto, a mais fácil de ser analisada. Ela é o *perfil comportamental* e mostra como você age, fala, se movimenta e se relaciona. É formada por quatro comportamentos estruturais marcantes: dominância, influência, estabilidade e conformidade (Teoria DISC).
- A segunda camada, já "submersa", é composta pelos cinco fatores profissionais que nos motivam: dinheiro, segurança, aprendizado, reconhecimento e autorrealização. Essa camada indica por quais razões e com que empenho você trabalha. Entender esses *motivadores* o ajudará a escolher a modalidade de trabalho mais adequada às suas necessidades atuais.
- A terceira camada é formada pelos *talentos:* artístico, esportivo, relacional, espacial, linguístico, naturalista,

lógico-matemático, executor, empreendedor e criativo-intuitivo. Essa camada mostra as áreas nas quais você se destaca e que, portanto, deveria usar intensamente para alavancar sua carreira.
- A quarta camada é aquela formada pelas *atitudes positivas:* disposição, pontualidade, "estudabilidade", proatividade, resiliência, profissionalismo, coragem, temperança, altruísmo e empatia. Elas dão um acabamento perfeito às outras áreas da personalidade, funcionando como um ímã para novas oportunidades.
- A quinta camada é a constituída pelos principais *pontos limitantes:* apatia, procrastinação, aversão ao estudo, resistência, insegurança, descompromisso, instabilidade emocional, egoísmo e antipatia. Os pontos limitantes funcionam como uma gigantesca bola de chumbo que pode afundar e destruir seu *iceberg*.

Aumente o poder de seu condutor pelo autoconhecimento

Como vimos, cerca de 95% do aparato mental e, portanto, de nosso *iceberg,* é comandado pelo elefante, ou sistema automático, pois *quase* tudo o que fazemos durante a vida acontece com o "piloto automático" ligado. Comemos, bebemos, dirigimos, trabalhamos, conversamos, julgamos, amamos, odiamos e decidimos usando um padrão que, na maioria das vezes, passa despercebido. Todo esse mecanismo de decisões inconscientes tem o objetivo de poupar o condutor, que só consegue fazer uma coisa de cada vez e se cansa rapidamente. Tomamos centenas de pequenas decisões todos os dias, mas não temos consciência da maioria delas. Imagine o transtorno que seria tomar decisões como: "Falarei por quantos minutos nesta ligação?"; "Tomarei dois ou três copos de água pela manhã?"; "Bocejarei agora ou mais tarde?"; "Sentirei pena ou desprezo por aquela pessoa?"; "Ficarei com fome agora ou daqui a trinta minutos?", e assim por diante. Você toma a maioria das decisões sem raciocinar para poupar a energia de seu sistema analítico. Por isso, você precisará de ferramentas para que seu condutor entenda como funciona seu elefante, a fim de utilizar melhor seu estilo único de ser.

Para alcançar esse objetivo, veremos, nos próximos capítulos, como aprimorar seu autoconhecimento nas cinco grandes dimensões que compõem a personalidade:

1. **Conheça seu perfil comportamental.**
2. **Descubra o que o motiva.**
3. **Identifique seus principais talentos.**
4. **Aprimore suas atitudes.**
5. **Corrija seus pontos limitantes.**

Compreender as forças inconscientes que nos dominam é o primeiro e grande passo para tomarmos decisões mais acertadas. Ao ter consciência de como funciona sua personalidade, você poderá utilizar soluções práticas para posicionar-se onde se sinta mais forte, seguro e produtivo.

3
Conheça seu perfil DISC

Perfil

Motivadores

Talentos

Atitudes

Pontos limitantes

A pessoa que é dominante recebe elogios por sua franqueza e objetividade, mas, em compensação, costuma ser criticada por ser agressiva. A pessoa obediente tende a ser gentil e simpática, mas tem dificuldade em dizer não. A extrovertida normalmente é carismática e animada, porém pode falar demais. A introvertida é boa ouvinte e concentrada, entretanto tem dificuldades para se expressar. A impaciente é rápida e intensa, não obstante, impulsiva. A calma é ponderada e reflexiva, contudo costuma demorar para decidir-se. A detalhista é organizada, todavia pode ser centralizadora. A criativa é flexível e tem jogo de cintura, no entanto costuma ser desorganizada.

E você, como costuma ser? Mandão ou obediente? Sociável ou tímido? Calmo ou agitado? Rígido ou flexível? Para se posicionar no lugar mais adequado, é fundamental você conhecer seu perfil comportamental, que se reflete na maneira *como* interage com o mundo ao seu redor.

Existem diversas maneiras de analisar o perfil comportamental. Utilizarei aqui a Teoria DISC, cuja base teórica foi publicada em 1928 pelo Ph.D. em psicologia William Marston, que, em seus estudos, concluiu que parte importante do comportamento humano poderia ser analisada por meio de quatro grandes características: dominância, influência, estabilidade e conformidade.

Marston observou, corretamente, que a maioria da população adulta apresentava esses quatro fatores de maneira consistente e duradoura, e que seria possível, a qualquer pessoa conhecedora dessa teoria, aprimorar sua qualidade de vida ao aprender a utilizar melhor os aspectos comportamentais positivos de sua personalidade, bem como ajustar os negativos. Isso valia naquela época e hoje ainda mais, uma vez que milhões de pessoas foram beneficiadas com o uso dessa ferramenta, validada e aprimorada nessas nove décadas de existência.

A teoria, denominada DISC – **D**ominance, **I**nfluence, **S**teadiness, **C**ompliance (ou, em sua tradução mais comum, **D**ominância, **I**nfluência, e**S**tabilidade e **C**onformidade), foi publicada e adotada por muitos, inclusive os que usam nomenclaturas diferentes da original.

O perfil DISC mede comportamentos relativamente fáceis de serem observados, tanto por você (se sua percepção for boa), quanto pelas pessoas com quem convive. É possível analisar esses quatro fatores de qualquer pessoa apenas observando como ela gesticula, anda, fala, negocia, expõe sua opinião ou reage às críticas e aos elogios.

O perfil DISC não mede fatores como motivações, paradigmas morais, experiências profissionais, padrões de julgamento, formação intelectual e caráter. Ele analisa *como* as pessoas fazem as coisas, **não por que** elas fazem.

Também é importante ressaltar que nenhuma pessoa apresenta isoladamente características D, I, S ou C. Na verdade, somos uma mistura desses quatro fatores, tendo maior ou menor intensidade de cada um deles.

Por uma questão didática, analisarei os quatro fatores separadamente, como você verá a seguir.

Observação importante: você poderá, a partir da página 74, preencher o teste sobre seu perfil DISC antes de continuar a leitura sobre o assunto, ou prosseguir a leitura e fazer o teste no final do capítulo.

Dominância

Dominância é a maneira como as pessoas usam o poder e lidam com problemas e desafios.

Alta dominância

Quanto mais alta for a dominância, mais intensamente a pessoa será:

- exigente;
- direta;
- determinada;
- dominante;
- competitiva;
- decidida;
- questionadora;
- franca.

A pessoa com alta dominância costuma apresentar os seguintes pontos fortes:

- gosta de comandar;
- é objetiva;
- busca desafios;
- impõe respeito.

A pessoa com alta dominância costuma apresentar os seguintes pontos fracos ou limitantes:

- pode causar medo;
- pode ser grosseira;
- pode correr muitos riscos;
- pode ser agressiva.

Posicionamento ideal para pessoas com alta dominância:

- trabalhos em que tenha chances de comandar;
- ambiente que proporcione desafios constantes;
- locais que permitam sua livre expressão;
- ser proprietária, mesmo que de pequenos negócios.

* * *

As pessoas com alta dominância gostam de enfrentar problemas de maneira direta, não conseguem relaxar e vivem atrás de novos desafios, pois a tensão faz parte de seu dia a dia. Quando bem utilizadas, essas características produzem resultados positivos, tanto para a pessoa quanto para o negócio em que ela trabalha.

Esses indivíduos têm características marcantes, como objetividade, capacidade de liderar e determinação para alcançar desafios. Entretanto, podem gerar conflitos, correr muitos riscos e serem taxados de agressivos e insensíveis.

Se você é dominante, tenha consciência de que pode ser difícil para outras pessoas conviverem com alguém tão direto e objetivo. Uma pessoa assim poderá ser mais bem-sucedida se entender que é possível aprimorar qualidades natas, como determinação e franqueza, sem ser grosseira ou causar medo. Deve também tomar cuidado para não usar o poder para se vingar dos que dela discordam.

Se você tem altos níveis de exigência, está atento a tudo o que acontece ao seu redor, apresenta ótimos resultados e, mesmo assim, é muito criticado e está infeliz, talvez esteja trabalhando no lugar errado. Pense na hipótese de trabalhar por conta própria ou procurar um lugar em que gente dominante como você seja necessária.

Se gosta de desafios e de dinamismo, procure empregos ou profissões que lhe propiciem muito trabalho, prazos curtos e metas arrojadas. Se fizer isso, perceberá que, ao contrário do que muitos afirmam, é possível ser uma pessoa "mandona" e realizada.

Baixa dominância

Quanto mais baixa a dominância, mais intensamente a pessoa será:

- cooperante;
- pouco exigente;
- tolerante;
- agradável;
- pacífica;
- hesitante;
- obediente;
- gentil.

A pessoa com baixa dominância costuma apresentar os seguintes pontos fortes:

- é boa cumpridora de ordens;
- é amigável;
- evita conflitos;
- é harmoniosa.

A pessoa com baixa dominância costuma apresentar os seguintes pontos fracos ou limitantes:

- pode ter dificuldade em discordar;
- pode ser submissa;
- pode demonstrar insegurança;
- pode parecer desinteressada.

Posicionamento ideal para pessoas com baixa dominância:

- trabalhos em que não precise comandar outras pessoas;

- ambientes harmoniosos;
- empregos que tenham metas de longo prazo;
- trabalhar para líderes que valorizem pessoas cumpridoras.

* * *

Pessoas com baixa dominância são gentis, atenciosas e tolerantes. Enfrentam os problemas de maneira habilidosa e discreta, e evitam qualquer tipo de conflito. Preferem executar tarefas a mandar que outras pessoas as façam. Quando bem aproveitadas, essas características produzem resultados muito positivos, tanto para a pessoa como para a empresa na qual ela trabalha.

Entretanto, podem parecer conformadas por serem pacatas e obedientes. Tenha consciência de que, se você for muito passivo, ninguém vai defender seus pontos de vista a não ser você mesmo.

Essa pessoa poderá ser mais bem-sucedida ao se conscientizar de que é possível ser valorizada por sua gentileza e tolerância. Se você faz o melhor que pode, colabora com todos os colegas, entrega ótimos resultados, no entanto é criticado por não ser mais competitivo e se sente deslocado, talvez esteja trabalhando no lugar errado. Pense na hipótese de trabalhar em locais em que pessoas harmoniosas são valorizadas.

Se gosta de trabalhos em que não é preciso se impor todos os dias, vá atrás de funções em que não haja necessidade de exigir nada de ninguém, apenas de si mesmo. Se fizer isso, perceberá que ser uma pessoa pacífica é solução, não problema.

Influência

Influência é a maneira como a pessoa se expressa e age nos relacionamentos.

Alta influência

Quanto mais alta é a influência, mais intensamente a pessoa será:

- brincalhona;
- afetiva;
- falante;
- persuasiva;
- calorosa;
- extrovertida;
- animada;
- sociável.

A pessoa com alta influência costuma apresentar os seguintes pontos fortes:

- é bem relacionada;
- é entusiasmada;
- trabalha bem em equipe;
- é persuasiva.

A pessoa com alta influência costuma apresentar os seguintes pontos fracos ou limitantes:

- pode falar demais;
- pode ser indiscreta;
- pode ser superficial;
- pode ser má ouvinte.

Posicionamento ideal para pessoas com alta influência:

- trabalhos que propiciem amplo contato com outras pessoas;
- ambientes animados e estimulantes;
- locais que valorizem o trabalho em equipe;
- funções que demandem intensa comunicação.

* * *

As pessoas com alta influência têm como características marcantes a sociabilidade e a habilidade para se relacionar bem. Sentem prazer em trabalhar em equipe, adoram ter gente por perto e preferem lidar com o público em seu dia a dia. Quando bem utilizado, esse estilo produz resultados muito positivos tanto para a pessoa quanto para o ambiente em que trabalha.

Entretanto, quem é assim pode ter problemas, como a dificuldade de trabalhar calado, além de, muitas vezes, ser taxado de mau ouvinte. Se você é muito falante, tenha consciência de que poderá incomodar pessoas mais reservadas, que precisam de concentração e silêncio para trabalhar.

Você poderá ser mais bem-sucedido se conseguir aprimorar qualidades natas, como a capacidade de se relacionar em qualquer ambiente, mas evitando constranger os demais com sua descontração.

Quem possui todas essas habilidades relacionais, mas se sente deslocado por trabalhar em um ambiente muito formal, talvez esteja no lugar errado. Pense na possibilidade de procurar locais em que possa ser descontraído.

Se você gosta de lidar com gente o tempo todo, busque um emprego ou profissão que lhe propicie oportunidades de obter resultados por meio de seu carisma. Se fizer isso, perceberá que gente descontraída produz ótimos resultados, além de contribuir para deixar o ambiente mais leve.

Baixa influência

Quanto mais baixa a influência, mais intensamente a pessoa será:

- concentrada;
- tímida;
- reservada;
- sóbria;
- calada;
- controlada;
- discreta;
- introvertida.

A pessoa com baixa influência costuma apresentar os seguintes pontos fortes:

- é boa ouvinte;
- é boa observadora;
- pensa antes de falar;
- é focada nas tarefas.

A pessoa com baixa influência costuma apresentar os seguintes pontos fracos ou limitantes:

- pode sofrer calada;
- pode ficar isolada;
- pode ser ignorada;
- pode demonstrar frieza.

Posicionamento ideal para pessoas com baixa influência:

- trabalhos que demandem pouco contato com o público;

- ambientes silenciosos;
- locais onde não haja necessidade de fazer política e alianças;
- funções que valorizem os resultados e não o relacionamento.

* * *

As pessoas com baixa influência têm como características marcantes a concentração e a introversão. Sentem-se confortáveis ao trabalhar em silêncio, preferem ter pouco contato social e se destacam ao executar tarefas técnicas em seu dia a dia. Se essas características forem respeitadas, essa pessoa produzirá resultados muito positivos no ambiente em que trabalha.

Entretanto, os introvertidos têm dificuldades para criar novos relacionamentos, falam pouco e normalmente são tidos como frios. Se você é muito tímido, tenha consciência de que isso não é um defeito, muito menos uma falha de caráter.

Quem é assim poderá ser mais bem-sucedido se aprimorar qualidades, como a capacidade de executar tarefas de maneira discreta, sem se incomodar com pessoas mais animadas e barulhentas, que, na maior parte das vezes, não fazem isso por mal.

Se você se esforça ao máximo, mas se sente deslocado por trabalhar em um ambiente muito informal, talvez esteja no lugar errado. Analise a hipótese de procurar lugares em que pessoas sóbrias e discretas como você são valorizadas.

Busque um trabalho ou profissão que lhe propicie oportunidades de obter resultados usando sua capacidade de concentração. Se fizer isso, vai se sentir muito mais bem resolvido e realizado.

Estabilidade

A estabilidade tem relação com o ritmo que a pessoa costuma ter.

Alta estabilidade

Quanto mais alta a estabilidade, mais intensamente a pessoa será:

- paciente;
- ponderada;
- consistente;
- lenta;
- estável;
- rotineira;
- tranquila;
- calma.

A pessoa com alta estabilidade costuma apresentar os seguintes pontos fortes:

- transmite confiança;
- adapta-se bem a trabalhos repetitivos;
- é previsível;
- tranquiliza o ambiente.

A pessoa com alta estabilidade costuma apresentar os seguintes pontos fracos ou limitantes:

- pode ser muito lenta;
- pode ser resistente à mudanças;
- pode ter dificuldade para trabalhar sob pressão;
- pode ter dificuldade para fazer várias tarefas simultaneamente.

Posicionamento ideal para pessoas com alta estabilidade:

- trabalhos estáveis e seguros;
- ambientes familiares e previsíveis;
- locais em que possa permanecer por longo prazo;
- funções que valorizem mais a consistência do que a rapidez.

* * *

As pessoas com estabilidade alta têm como características marcantes a paciência e a capacidade de fazer trabalhos repetitivos sem se aborrecer. Além disso, preferem relações profissionais de longo prazo. Sentem-se mais à vontade para realizar tarefas que demandam um ritmo constante, por longos períodos, sem perder a concentração. Preferem lidar com pessoas que já conhecem bem e se destacam em atividades que exijam paciência. Quando bem exploradas, essas características produzem resultados muito positivos, tanto para a pessoa quanto para a empresa em que trabalha.

Entretanto, quem se comporta assim pode ter problemas para cumprir prazos apertados, pode ser resistente à mudanças, além de, muitas vezes, ser taxado de lento.

Quem é assim poderá ser mais bem-sucedido ao utilizar a capacidade de manter um ritmo constante sem se cansar, mas não deve se incomodar com pessoas impacientes, que, na maior parte das vezes, não percebem esse comportamento.

Se você tem toda essa estabilidade e se sente desconfortável ao trabalhar em um ambiente que imponha muita pressão e exija resultados a curto prazo, talvez esteja no lugar errado.

Se gostar de poucas mudanças e ritmo estável, busque uma empresa ou profissão que lhe propicie oportunidades de obter resultados usando sua "paciência de Jó". Se fizer isso, vai perceber que será muito mais produtivo ser uma pessoa tranquila.

Baixa estabilidade

Quanto mais baixa a estabilidade, mais intensamente a pessoa será:

- impaciente;
- ansiosa;
- inquieta;
- hiperativa;
- tensa;
- impulsiva;
- agitada;
- acelerada.

A pessoa com baixa estabilidade costuma apresentar os seguintes pontos fortes:

- é rápida;
- faz várias atividades ao mesmo tempo;
- funciona bem sob pressão;
- tem senso de urgência.

A pessoa com baixa estabilidade costuma apresentar os seguintes pontos fracos ou limitantes:

- pode esquecer tarefas;
- pode ser precipitada;
- pode ter dificuldades com pessoas calmas;
- pode ter crises de ansiedade.

Posicionamento ideal para pessoas com baixa estabilidade:

- trabalhos multifuncionais;
- locais agitados;

- funções em que possa mudar de ambiente com frequência;
- tarefas nas quais a rapidez seja valorizada.

***

Pessoas com baixa estabilidade têm como características marcantes o senso de urgência constante e a capacidade de realizar múltiplas tarefas. Gostam de trabalhar sob pressão, com prazos apertados, e de fazer várias coisas ao mesmo tempo. Preferem trabalhar em diferentes ambientes e se destacam ao executar atividades que demandem a explosão de um velocista. Se bem dosadas, essas características produzem resultados muito positivos e em pouco tempo.

Em compensação, isso pode causar problemas, como a dificuldade de concentrar-se e a excessiva pressão que exerce sobre os colegas. Além disso, essa pessoa quase sempre é taxada de impulsiva. Quem é assim poderá ser bem-sucedido se conseguir manter um ritmo acelerado sem passar por cima de pessoas calmas, que, na maior parte das vezes, estão andando em ritmo normal.

Se você tem toda essa velocidade, entrega bons resultados e ainda assim é criticado por sua impaciência todos os dias, e se sente deslocado por trabalhar em um ambiente muito estável e previsível, talvez esteja no lugar errado. Pense na hipótese de procurar locais em que pessoas rápidas como você são valorizadas.

Se preferir muitas mudanças e ritmo alucinante, busque uma empresa ou profissão que lhe propicie oportunidades de obter resultados usando seu estilo acelerado, em que deverá haver muitas pessoas como você. Se fizer isso, perceberá que é possível ser uma pessoa agitada e feliz.

Conformidade

Conformidade é a maneira como a pessoa lida com regras e procedimentos.

Alta conformidade

Quanto mais alta a conformidade, mais intensamente a pessoa será:

- detalhista;
- meticulosa;
- perfeccionista;
- sistemática;
- regrada;
- precisa;
- rígida;
- organizada.

A pessoa com alta conformidade costuma apresentar os seguintes pontos fortes:

- produz com qualidade;
- presta atenção aos detalhes;
- identifica falhas com precisão;
- gosta de cumprir regras.

A pessoa com alta conformidade costuma apresentar os seguintes pontos fracos ou limitantes:

- pode travar o sistema;
- pode se apegar a detalhes insignificantes;
- pode não delegar;
- pode ser inflexível.

Posicionamento ideal para pessoas com alta conformidade:

- trabalhos nos quais haja regras claras;
- funções em que pessoas detalhistas são valorizadas;
- locais em que possam implementar metodologias rígidas:
- cargos que valorizem mais a disciplina do que a criatividade.

Pessoas com alta conformidade têm grande capacidade de realizar trabalhos minuciosos e preferem relações profissionais com regras claras e definidas. Sentem prazer em executar tarefas que beirem a perfeição, preferem lidar com pessoas disciplinadas e se destacam em funções que demandem precisão. Quando bem usadas, essas características produzem resultados muito positivos, tanto para a pessoa quanto para o ambiente em que ela trabalha.

Entretanto, esses comportamentos podem causar problemas, como a centralização demasiada de tarefas, além de, normalmente, gerar excesso de controles. Se você gosta de ter tudo planejado com meses de antecedência e odeia improvisos, é a típica pessoa com conformidade alta.

Quem é assim poderá ser mais bem-sucedido se usar toda a sua disciplina para aprender a conviver melhor com pessoas informais e criativas, que, na maioria das vezes, são fundamentais para complementar seu estilo rígido.

Se você tem a habilidade de fazer as coisas nos mínimos aspectos, apresenta bons resultados, mas é chamado de chato por exigir o cumprimento de regras e se sente desestimulado ao trabalhar em um ambiente desorganizado e caótico, talvez esteja no lugar errado. Pense na hipótese de procurar funções em que pessoas perfeccionistas como você sejam valorizadas.

Busque uma empresa ou profissão que lhe propicie oportunidades de obter resultados usando seu talento para cumprir regras e procedimentos.

Baixa conformidade

Quanto mais baixa a conformidade, mais intensamente a pessoa será:

- independente;
- desorganizada;
- flexível;
- irreverente;
- criativa;
- versátil;
- intuitiva;
- desligada.

A pessoa com baixa conformidade costuma apresentar os seguintes pontos positivos:

- É "fechadora" de negócios.
- Vira-se bem sozinha.
- Improvisa facilmente.
- Preocupa-se mais com a "floresta" do que com as "árvores".

A pessoa com baixa conformidade costuma apresentar os seguintes pontos fracos ou limitantes:

- Pode agir sem calcular os riscos.
- Pode ter dificuldades para terminar tarefas.
- Pode não seguir regras.
- Pode ser indisciplinada.

Posicionamento ideal para pessoas com baixa conformidade:

- trabalhos em que haja pouco controle;
- funções em que a criatividade seja valorizada;
- trabalhos pouco burocráticos;
- trabalhos em que improvisar seja importante.

* * *

As pessoas com baixa conformidade têm como características marcantes o jogo de cintura e a criatividade. Preferem relações profissionais com poucas regras e muita liberdade para agir. Sentem prazer em ser flexíveis, preferem trabalhar com pessoas que valorizam o resultado final e se destacam ao executar trabalhos em que possam usar sua habilidade de improvisar para enfrentar desafios.

Entretanto, podem causar problemas decorrentes da desorganização e, às vezes, da indisciplina. Se você gosta de viajar sem roteiro definido ou pensa em como preparar uma apresentação meia hora antes do horário marcado, é um típico representante desse estilo.

Quem é assim poderá ser mais bem-sucedido se usar sua criatividade para produzir resultados, mas será importante contar com pessoas detalhistas, que complementem as atividades que você não tenha habilidade para executar.

Se você entrega bons resultados, mas é muito criticado por não seguir regras e se sente deslocado por trabalhar em um ambiente rígido, talvez esteja na hora de mudar de função. Pense na hipótese de procurar ambientes em que pessoas criativas e flexíveis sejam valorizadas.

Busque uma empresa ou profissão que lhe permita usar seu jogo de cintura e sua capacidade de improvisar, de preferência com muita liberdade.

Teste seu perfil comportamental

Para conhecer mais sobre seu perfil comportamental, preparei um teste que pode ser preenchido a seguir. O teste e a análise dos resultados são baseados em interpretação pessoal da Teoria DISC. Essa adaptação é fruto de minha experiência na aplicação dessa ferramenta nos últimos vinte e cinco anos.

Para realizá-lo, marque nos questionários a opção que mais se aproxima de sua realidade. Seja sincero e assinale aquilo que você realmente é, e não o que gostaria de ser.

A pontuação de cada item varia de 0 a 5.

Números altos ou baixos não são bons nem ruins, apenas expressam uma parte importante de sua personalidade, que será analisada após o preenchimento.

Análise da dominância

		Pacato		Meio-termo	Aguerrido		Extremamente aguerrido	RESULTADO
1	Extremamente pacato							
	0	1	2	2,5	3	4	5	
2	Nunca confronta	Evita confrontos		Meio-termo	Confrontador		Muito confrontador	RESULTADO
	0	1	2	2,5	3	4	5	
3	Não exigente	Pouco exigente		Meio-termo	Exigente		Muito exigente	RESULTADO
	0	1	2	2,5	3	4	5	
4	Muito obediente	Obediente		Meio-termo	Dominante		Muito dominante	RESULTADO
	0	1	2	2,5	3	4	5	
5	Muito cooperante	Cooperante		Meio-termo	Competitivo		Muito competitivo	RESULTADO
	0	1	2	2,5	3	4	5	

6	Muito tolerante	0	Tolerante	1	2	Meio-termo	2,5	Intolerante	3	4	Muito intolerante	5	RESULTADO
7	Muito harmonioso	0	Harmonioso	1	2	Meio-termo	2,5	Questionador	3	4	Muito questionador	5	RESULTADO
8	Muito indeciso	0	Indeciso	1	2	Meio-termo	2,5	Decidido	3	4	Muito decidido	5	RESULTADO
9	Muito cauteloso	0	Cauteloso	1	2	Meio-termo	2,5	Ousado	3	4	Muito ousado	5	RESULTADO
10	Muito conciliador	0	Conciliador	1	2	Meio-termo	2,5	Conflitivo	3	4	Muito conflitivo	5	RESULTADO

TOTAL 1: _____

Análise da influência

1	Muito introvertido	0	Introvertido	1	2	Meio-termo	2,5	Extrovertido	3	4	Muito extrovertido	5	RESULTADO
2	Muito calado	0	Calado	1	2	Meio-termo	2,5	Falante	3	4	Muito falante	5	RESULTADO
3	Muito discreto	0	Discreto	1	2	Meio-termo	2,5	Pouco discreto	3	4	Nada discreto	5	RESULTADO
4	Muito fechado	0	Fechado	1	2	Meio-termo	2,5	Sociável	3	4	Muito sociável	5	RESULTADO
5	Muito retraído	0	Retraído	1	2	Meio-termo	2,5	Expansivo	3	4	Muito expansivo	5	RESULTADO

6	Muito sério	Sério	Meio-termo	Brincalhão	Muito brincalhão	RESULTADO
	0	1	2	2,5	3	4	5	
7	Odeia festas	Evita festas	Meio-termo	Gosta de festas	Adora festas	RESULTADO
	0	1	2	2,5	3	4	5	
8	Muito frio	Frio	Meio-termo	Caloroso	Muito caloroso	RESULTADO
	0	1	2	2,5	3	4	5	
9	Muito inibido	Inibido	Meio-termo	Desinibido	Muito desinibido	RESULTADO
	0	1	2	2,5	3	4	5	
10	Nada emotivo	Pouco emotivo	Meio-termo	Emotivo	Muito emotivo	RESULTADO
	0	1	2	2,5	3	4	5	

TOTAL 2: _____

Análise da estabilidade

1	Muito intranquilo	0	Intranquilo	1	2	Meio-termo	2,5	Tranquilo	3	4	Muito tranquilo	5	RESULTADO	
2	Muito rápido	0	Rápido	1	2	Meio-termo	2,5	Lento	3	4	Muito lento	5	RESULTADO	
3	Muito instável	0	Instável	1	2	Meio-termo	2,5	Estável	3	4	Muito estável	5	RESULTADO	
4	Muito impaciente	0	Impaciente	1	2	Meio-termo	2,5	Paciente	3	4	Muito paciente	5	RESULTADO	
5	Muito agitado	0	Agitado	1	2	Meio-termo	2,5	Calmo	3	4	Muito calmo	5	RESULTADO	

CONHEÇA SEU PERFIL DISC

6	Muito ansioso	Ansioso		Meio-termo	Sereno		Muito sereno	RESULTADO
	0	1	2	2,5	3	4	5	
7	Muda demais	Busca mudanças		Meio-termo	Evita mudanças		Odeia mudanças	RESULTADO
	0	1	2	2,5	3	4	5	
8	Muito acelerado	Acelerado		Meio-termo	Vagaroso		Muito vagaroso	RESULTADO
	0	1	2	2,5	3	4	5	
9	Muito impulsivo	Impulsivo		Meio-termo	Reflexivo		Muito reflexivo	RESULTADO
	0	1	2	2,5	3	4	5	
10	Odeia rotina	Evita rotina		Meio-termo	Gosta de rotina		Adora rotina	RESULTADO
	0	1	2	2,5	3	4	5	

TOTAL 3: _____

Análise da conformidade

1	Nada detalhista	Pouco detalhista	Meio-termo	Detalhista	Muito detalhista	RESULTADO
	0	1	2	2,5	3	4	5	
2	Muito desorganizado	Desorganizado	Meio-termo	Organizado	Muito organizado	RESULTADO
	0	1	2	2,5	3	4	5	
3	Improvisa demais	Improvisa	Meio-termo	Evita improvisos	Não improvisa	RESULTADO
	0	1	2	2,5	3	4	5	
4	Muito flexível	Flexível	Meio-termo	Inflexível	Muito Inflexível	RESULTADO
	0	1	2	2,5	3	4	5	
5	Muito intuitivo	Intuitivo	Meio-termo	Analítico	Muito analítico	RESULTADO
	0	1	2	2,5	3	4	5	

CONHEÇA SEU PERFIL DISC

6	Muito criativo		Criativo		Meio-termo	Pouco criativo		Nada criativo	RESULTADO
	0	1		2	2,5	3	4	5	
7	Muito adaptável		Adaptável		Meio-termo	Rígido		Muito rígido	RESULTADO
	0	1		2	2,5	3	4	5	
8	Muito informal		Informal		Meio-termo	Formal		Muito formal	RESULTADO
	0	1		2	2,5	3	4	5	
9	Muito indisciplinado		Indisciplinado		Meio-termo	Disciplinado		Muito disciplinado	RESULTADO
	0	1		2	2,5	3	4	5	
10	Muito arbitrário		Arbitrário		Meio-termo	Metódico		Muito metódico	RESULTADO
	0	1		2	2,5	3	4	5	

TOTAL 4: _____

Análise dos resultados

Dominância (D) _____
Influência (I) _____
Estabilidade (S) _____
Conformidade (C) _____

De 41 a 50 pontos: Altíssima intensidade.
De 30 a 40 pontos: Alta intensidade.
De 20 a 29 pontos: Média intensidade.
De 11 a 19 pontos: Baixa intensidade.
De 0 a 10 pontos: Baixíssima intensidade.

Exemplos:

Se uma pessoa apresenta D = 41, I = 25, S = 10 e C = 15, significa que ela tem dominância altíssima, influência média, estabilidade baixíssima e conformidade baixa.

Se apresenta D = 10, I = 15, S = 39 e C = 25, significa que ela tem dominância baixíssima, influência baixa, estabilidade alta e conformidade média.

Considerações sobre o teste

Se quiser assegurar-se de que preencheu o teste corretamente, peça que três ou quatro pessoas de sua confiança – e que sejam sinceras – façam o teste, colocando-se em seu lugar. Em seguida, faça a média e compare os resultados. Quanto mais próximos forem os números, maior será a probabilidade de que você tenha preenchido o teste corretamente.

Se houver diferenças significativas, analise a opinião de cada pessoa que fez seu teste e peça que ela exemplifique suas discordâncias. Se houver um impasse, convide outras pessoas para tirar as dúvidas.

Você até pode repetir a execução do teste, mas isso é desnecessário, uma vez que a personalidade em adultos é relativamente estável e o resultado não mudará muito. Se você preencheu corretamente, uma vez será suficiente.

Para saber quais dos quatro fatores do perfil DISC são mais relevantes em sua personalidade, considere o fator com pontuação mais alta e o com pontuação mais baixa. Essas serão suas características mais marcantes e, portanto, seus comportamentos mais explícitos.

Perfis ideais e perfis adaptados

Não existe um perfil DISC ideal para todas as atividades, mas há os que se adaptam melhor a determinadas funções. Por exemplo: os dominantes gostam de comandar, os extrovertidos, de se relacionar, os impacientes, de acelerar, e os detalhistas, de organizar. A pessoa será mais feliz, bem-sucedida e valorizada se puder utilizar suas características mais marcantes na maior parte do tempo.

É recomendável, entretanto, aprimorar ainda mais os aspectos positivos do seu perfil e diminuir a intensidade dos negativos. Se você é dominante, poderá melhorar ainda mais sua capacidade de liderar tornando-a mais positiva, contudo, precisará ficar atento para não ser grosseiro, atenuando um aspecto negativo.

Lembre-se de que tudo que é inconsciente ou não percebido em sua personalidade é comandado pelo elefante, e o que é interpretado conscientemente deve ser influenciado por seu condutor. Ou seja, usufruir suas qualidades e administrar seus pontos fracos é absolutamente possível e desejável.

Mudança de perfil

Seu perfil DISC mudará pouco com o passar dos anos. O ganhador do Prêmio Nobel de Economia em 2000, James Heckman, que passou quase quarenta anos estudando o processo de aprendizagem em crianças, adolescentes e adultos, compara a personalidade a um prédio. A estrutura desse prédio está baseada em fundações sólidas, e portanto, depois de construída, não mudará de lugar. É possível, no entanto, alterar a fachada, os móveis, a pintura e a iluminação, enfim, o acabamento da construção.

Os quatro fatores do perfil DISC são estruturais, estáveis e mudam pouco em adultos saudáveis. Possuímos, entretanto, o que neurocientistas chamam de neuroplasticidade, que é a capacidade do cérebro de aprender novas informações e adaptar os comportamentos aos diferentes ambientes.

Estima-se que temos uma capacidade de ajustar, em média, dez pontos (para mais ou para menos) de qualquer um dos quatro fatores DISC quando a situação exigir, mas voltamos à configuração original com rapidez. Por exemplo: uma pessoa que estruturalmente tenha 35 pontos de dominância pode, em algumas situações, baixar para 25 pontos (ficar menos dominante) ou subir para 45 pontos (ficar ainda mais dominante), mas tenderá a voltar, rapidamente, para sua configuração original, que, nesse exemplo, é de 35 pontos.

Use suas características mais marcantes

Agora que você já conhece uma parte importante de sua personalidade, e sabe que esses comportamentos o acompanharão pelo resto da vida, deveria ter como prioridade trabalhar em funções nas quais possa usar suas características mais marcantes na maior parte do tempo.

Lembre-se:

- Quem tem dominância alta gosta de comandar e correr riscos.
- Quem tem dominância baixa prefere cumprir ordens e evitar conflitos.
- Quem tem influência alta gosta de falar bastante e se relacionar com muita gente.
- Quem tem influência baixa prefere trabalhar em silêncio e se relacionar com poucas pessoas.
- Quem tem estabilidade alta prefere trabalhar em um ritmo lento e consistente.
- Quem tem estabilidade baixa prefere trabalhar em um ritmo acelerado e em várias tarefas simultaneamente.
- Quem tem conformidade alta prefere trabalhar com regras muito claras e em empresas organizadas.
- Quem tem conformidade baixa prefere improvisar e ter muita liberdade.

No próximo capítulo veremos a segunda camada do *iceberg* da personalidade: os fatores que o motivam no trabalho.

4
Descubra o que o motiva

Perfil

Motivadores

Talentos

Atitudes

Pontos limitantes

O segundo ponto-chave para saber se posicionar de modo mais adequado no mercado de trabalho é entender o que o motiva.

Seu elefante precisa ter motivos relevantes para levantar-se todos os dias e ir trabalhar entusiasmado, em vez de ficar dormindo ou tendo um desempenho medíocre. Se você adora dinheiro, mas seu trabalho é mal-remunerado, ficará desmotivado e com a cabeça em outro lugar. Se prefere um trabalho estável, mas se sente ameaçado, ficará infeliz e temeroso. Se gosta de muito aprendizado, mas ouve com frequência que a empresa em que você trabalha não é escola, e que cada um tem de se virar para aprender por conta própria, ficará decepcionado e desestimulado. Se aprecia reconhecimento e nunca recebe *feedbacks*, pois seu chefe acha que isso é perda de tempo, se sentirá desprezado e ressentido. Se você procura realizar-se por meio do trabalho, mas é pressionado para tomar atitudes que vão contra seus princípios, ficará com a consciência pesada e produzirá pouco.

A verdade é que você precisa treinar seu condutor para entender os anseios de seu elefante. Mostre ao condutor qual a intensidade de cada um dos motivadores do elefante, para que ele acorde cada vez mais disposto a usar toda a sua energia para dar seu melhor e, com isso, produzir bons resultados.

O problema é que não existe uma fórmula padrão, pois a sensação de "saciedade profissional" varia muito de pessoa para pessoa. Ficar rico, ter um emprego seguro, estudar nas melhores escolas, ser famoso ou fazer as pessoas sentirem-se bem não são situações que estimulam todos na mesma intensidade. Convém relembrar que agimos muito mais por força de nosso motor inconsciente do que de nosso planejamento consciente. Embora justifiquemos nossos atos pela lógica (o condutor tem a ilusão de que é ele quem decide), quase sempre as decisões são tomadas emocionalmente.

O psicólogo Abraham Maslow escreveu, no início da década de 1950, o livro *Motivation & Personality*, que se tornou um marco na literatura sobre os fatores que motivam os seres humanos. Esse conteúdo foi sendo adaptado por diferentes estudiosos com o passar dos anos e, mesmo depois de milhares de textos escritos a esse respeito, poucas pessoas entendem realmente as próprias motivações.

Apoiado em minha vivência prestando consultorias, criei uma versão prática da Teoria dos Motivadores para explicar o significado dos fatores que estimulam os profissionais na carreira.

Observação importante: você pode ir para a página 104 e preencher o teste sobre seus motivadores antes de continuar a leitura sobre o assunto, ou prosseguir a leitura e fazer o teste no final do capítulo.

Analisemos os cinco motivadores.

Dinheiro

Quanto mais intenso for esse motivador, mais a pessoa aceitará riscos e desafios profissionais em troca de rendimento vantajoso. O desejo de ganhar quase sempre é maior do que o medo de perder.

Pessoas assim normalmente preferem trabalhos que ofereçam remuneração variável, investem em mercados de risco (ações, derivativos, terrenos em lugares distantes), arriscam novas empreitadas, toleram desconforto e falta de estrutura e de qualidade de vida se sentirem que têm a chance, mesmo que remota, de enriquecer ou de ter um ganho superior à média. É o motivador mais comum para quem deseja ter o próprio negócio.

Se você tem essa motivação como a mais relevante, não tenha vergonha de assumi-la. Gostar de ganhar bem, honestamente, não é defeito.

Procure atividades em que haja oportunidades de ganhar mais: trabalhar com vendas, mudar-se para novas fronteiras, montar pequenos negócios promissores ou entrar em empresas nas quais a remuneração esteja fortemente relacionada à obtenção de metas.

Citarei o caso de três pessoas que têm como motivador mais forte o dinheiro.

Márcio tem como características mais marcantes do perfil DISC a alta dominância e a alta conformidade, ou seja, ele é dominante e detalhista. Possui uma indústria de médio porte, tem por volta de 60 anos, não completou o ensino básico, mora na mesma casa há mais de trinta anos, trabalha catorze horas por dia, seis dias por semana, e tem um patrimônio pessoal superior a 50 milhões de dólares. Ele mesmo diz que sua principal motivação continua a ser obter ainda mais dinheiro e que seu prazer é ganhar, não gastar. Acha também que deve agir seguindo regras, pois trapacear tiraria o valor de suas conquistas. Márcio é justo com seus funcionários, a ponto de sua empresa apresentar uma das rotatividades mais baixas no segmento em que atua.

Sua maior preocupação atualmente é preparar os três filhos adolescentes para que sejam bem-sucedidos tanto na vida como no trabalho.

Vânia tem como características mais marcantes do perfil DISC a alta influência e a baixa conformidade, ou seja, é extrovertida, flexível e criativa. Tem 27 anos, é casada e não tem filhos. É de origem humilde e, apesar de nunca ter passado por privações, começou a trabalhar aos 12 anos fazendo pequenos bicos como babá. Aos 14, conseguiu emprego na área administrativa de uma rede de livrarias e sempre se oferecia para fazer horas extras para ganhar mais. Depois de muito insistir, aos 18 anos foi trabalhar como vendedora em uma das lojas do grupo e, em menos de dois anos, tornou-se campeã de vendas da rede que tem mais de trinta lojas.

Apesar de ganhar sempre o valor máximo das comissões, além de vários prêmios, resolveu mudar radicalmente de ramo e foi vender automóveis para... ganhar mais!

Ela nunca desejou ser promovida a gerente, pois sempre quis depender apenas do próprio trabalho. Nunca escondeu que toda a sua energia seria utilizada para aumentar sua renda e, se encontrar uma nova profissão que propicie mais ganhos, mudará novamente de emprego.

Carlos tem como características mais marcantes do perfil DISC baixíssima estabilidade e a baixíssima conformidade, ou seja, é muito impaciente e extremamente informal. Tem 42 anos e está no terceiro casamento. Sempre foi ambicioso, articulado, inteligente e com enorme facilidade para ganhar dinheiro, comprando empresas em dificuldades financeiras, saneando-as e depois revendendo-as com grande lucro. Um negócio lícito, mas arriscado.

No começo, ele seguia as regras de mercado. Com o passar do tempo, o que era ambição virou obsessão e, então, começou a manipular qualquer pessoa que pudesse lhe propiciar vantagens. Comprava uma empresa em dificuldades financeiras e atrasava o pagamento. Ao vender algumas companhias, muitas vezes recebia um sinal, desistia da venda e devolvia o dinheiro, meses depois, sem pagar juros. Contratava funcionários com promessas irrealistas, não cumpria o combinado, e assim por diante. Carlos começou a atuar no limite da irresponsabilidade e utilizava todas as brechas para fazer negócios.

Atualmente sua credibilidade está no ponto mais baixo. Deve dinheiro para muita gente, mas continua na ilusão de que é apenas uma fase ruim em alguns negócios e que, em breve, tudo mudará para melhor, sem que ele precise melhorar sua conduta.

Os três casos apresentam pessoas que têm como motivação preponderante ganhar dinheiro. Os dois primeiros, apesar da quase obsessão pelo trabalho, são e provavelmente continuarão sendo profissionais honestos e bem-sucedidos. Sabem de sua motivação extrema, mas têm autocontrole e estão posicionados no lugar certo. O terceiro personagem, apesar da mesma motivação, tem atitudes que estão destruindo sua reputação e, se não houver mudanças de conduta, chegará a um ponto sem volta na carreira.

Segurança

Quanto maior a intensidade dessa motivação em sua personalidade, maior será seu medo real ou presumido de perder algo: produção, dinheiro, trabalho, bens materiais, relacionamentos ou saúde. Pessoas assim arriscam pouco, pois o medo de perder é, em grande número dos casos, maior do que o desejo de ganhar. Gostam de empregos seguros, têm muito medo de ser enganadas, passadas para trás ou de não receber o combinado.

Esse sistema de necessidades reflete a preocupação do indivíduo com garantias e previsibilidade. Quem é assim prefere uma ocupação conservadora e pouco sujeita a mudanças.

Valoriza cargos que proporcionem estabilidade, proteção no longo prazo, e o trabalho é tido como uma defesa contra a perda de conforto material.

Além disso, há grande preocupação com benefícios de natureza protetora, tais como seguros de vida, planos de saúde e programa de aposentadoria. Essas pessoas tendem também a valorizar trabalhos ou profissões que permitam planejar o futuro, onde tenham bom relacionamento com o chefe, um plano de carreira organizado pela empresa e pouca pressão por resultados no curto prazo.

Vamos a três casos de pessoas que têm essa motivação como a preponderante.

Felipe tem como características mais marcantes do perfil DISC alta estabilidade e a alta conformidade, ou seja, é calmo e detalhista. Tem 35 anos, é casado e tem três filhas entre 2 e 6 anos. É engenheiro e trabalha há dez anos em uma multinacional europeia no interior de São Paulo.

Há um ano recebeu proposta de uma concorrente para trabalhar na Alemanha, ganhando quase o dobro do salário atual, contrato de cinco anos, com as despesas familiares pagas (casa, escola para os filhos etc.), além de todas as condições para fazer um trabalho de alto nível. Seu dilema é que, além de estar satisfeito com o emprego atual, sua esposa também está bem empregada. Sua qualidade de vida é excelente e os filhos estão adaptados à vida no interior. Depois de muito pensar, decidiu não aceitar a proposta, considerada por muitos irrecusável, e continua feliz onde está.

Marina tem como características mais marcantes do perfil DISC a alta dominância e a alta conformidade, ou seja, é dominante e detalhista. Tem 30 anos, é solteira, médica, com mestrado, e trabalha há cinco anos como professora concursada em uma universidade federal. Desenvolveu a patente de um novo medicamento (que está registrado em nome da universidade) e tem sido convidada por várias empresas para continuar suas pesquisas na iniciativa privada. Sua resposta tem sido taxativa: ficará na empresa pública, pois, além da segurança e previsibilidade que o cargo propicia, deseja continuar a desenvolver sua linha de pesquisa, que é pouco lucrativa e demorará anos para gerar lucros. Ela não quer a pressão por resultados no curto prazo que uma empresa privada certamente exigiria e por isso pretende continuar onde está.

Clara tem como características mais marcantes do perfil DISC a alta dominância e a alta influência, ou seja, é dominante e extrovertida. Tem 35 anos, é casada e tem um casal de gêmeos recém-nascidos.

Trabalha há quinze anos em uma grande companhia na região sul, na qual é gerente de recursos humanos. A empresa vai transferir sua sede para o Nordeste e a convidou para ser diretora administrativa na nova operação. O marido é sócio de uma pequena metalúrgica e não se oporia a acompanhá-la.

Entretanto, o maior problema é que ela é filha única, a mãe mora com a família e tem uma doença grave, que não permitiria uma mudança desse porte. Ela investiu muito tempo e energia para ser promovida e, não fosse a situação da mãe, iria sem receio para a nova cidade e função. Como a empresa continuará com uma pequena estrutura por mais alguns anos no Sul, ela conseguiu que a nomeassem gestora local e adiou o crescimento na carreira para administrar com mais tempo e segurança as necessidades da mãe.

Nos dois primeiros casos, a escolha pela segurança e estabilidade foi uma opção de vida que provavelmente permanecerá por muitos anos. No terceiro caso, a decisão de recusar a promoção é conjuntural e quase certamente mudará quando a situação familiar estiver melhor.

Aprendizado

Quanto maior a intensidade desse motivador, mais valorizados serão os trabalhos que propiciem oportunidades de receber treinamento intensivo e, principalmente, o aprendizado informal que seria impossível adquirir em livros ou cursos teóricos. Esse aprendizado será mais efetivo por meio de muita interação com pessoas talentosas, principalmente as mais experientes, que sirvam como orientadores com vocação para ensinar e aconselhar.

O relacionamento com esses mentores é muito importante na escala de valores de alguém que tenha o aprendizado como prioridade. Essa motivação costuma ser mais intensa no início da carreira, período em que as pessoas investem tempo em aprender para, no futuro, almejar outras motivações, como dinheiro ou aprovação social, por exemplo. Seguem três casos.

Francisco tem como características mais marcantes do perfil DISC a baixa influência e a alta estabilidade, ou seja, é tímido e calmo. Tem 21 anos, é recém-formado em Agronomia e foi considerado o melhor aluno da turma. Apesar de receber propostas financeiramente muito mais atraentes, optou por trabalhar em uma cooperativa agrícola de médio porte.

Ele tem convicção de que, em uma empresa como essa, aprenderá muito sobre sua profissão, pois terá oportunidades de dar assistência técnica a agricultores de diferentes portes, poderá testar o funcionamento de novos produtos, participará dos debates sobre comercialização de grãos e ajudará a administrar pequenas propriedades rurais.

Ele calcula que, em três ou quatro anos, terá aprendizado prático suficiente para fazer mestrado, doutorado e depois prestar concurso para ser um professor universitário com excelente conteúdo prático e teórico para ensinar a seus futuros alunos.

Cláudia tem como características mais marcantes do perfil DISC a baixa dominância e a alta conformidade, ou seja, é gentil e detalhista. Tem 23 anos, é designer de moda e solteira. Conseguiu um estágio não remunerado de dois anos em uma grife famosa em Milão. Está disposta a trabalhar como garçonete ou babá nas horas vagas para pagar as despesas de estadia enquanto faz o estágio. Ela tem convicção de que o esforço de trabalhar e estudar em um país de primeiro mundo, em outro idioma e com uma cultura diferente da brasileira durante dois anos fará enorme diferença em sua carreira no médio e no longo prazos.

Ela estima que esse conjunto de atividades vai acelerar em pelo menos cinco anos sua curva de aprendizado. Claudia não descarta continuar estudando no exterior se durante sua estadia aparecerem boas oportunidades.

Joaquim tem como características mais marcantes do perfil DISC a baixa influência e a alta conformidade, ou seja, é introvertido e detalhista. Tem 55 anos e é professor titular de uma universidade pública. Cursou duas graduações, fez mestrado, doutorado e pós-doutorado.

Ele adora estudar, mas tem dificuldade de dar aulas, pois acha que tem pouca didática. Ele prefere utilizar a maior parte de seu tempo orientando alunos em seu campo de pesquisa. Estudar é quase uma diversão, mas sua baixa produtividade é criticada por alguns colegas, que se sentem sobrecarregados, já que precisam compensar a falta de motivação de Joaquim para dar aulas.

Em dois meses, ele poderá se aposentar e tem planos de, em seguida, ingressar em uma universidade privada, mas só o fará se puder se dedicar a orientar alunos de doutorado e dar poucas aulas formais.

Nos três casos, as pessoas envolvidas têm o aprendizado como principal motivador. Francisco e Cláudia estão fazendo um esforço que certamente trará resultados muito positivos para a carreira no médio prazo. Joaquim vai se aposentar no auge de sua aptidão intelectual e, apesar de procurar um novo emprego, pretende continuar atuando da mesma maneira e deseja obter resultados imediatos em razão de sua experiência de vida.

Aprovação social

Quanto mais alta a intensidade dessa motivação, maior será a preocupação do indivíduo com a obtenção de reconhecimento e estima por parte das pessoas com quem convive no trabalho. Isso significa desejo de ser aprovado e de ter oportunidades para demonstrar sua competência profissional. A pessoa com essa motivação valoriza cargos ou títulos, gosta de se sentir importante e, se possível, admirada.

Se para você prestígio é importante, será fundamental ter um trabalho ou uma profissão que propicie chances de demonstrar suas principais habilidades. Procure empresas que tenham um histórico de reconhecer e promover rapidamente pessoas que se destacam. Nas pequenas empresas é mais fácil e rápido alcançar cargos de liderança do que nas grandes, nas quais a competição é maior.

Vamos a três casos de pessoas que têm essa motivação como a preponderante.

Fernando tem como características mais marcantes do perfil DISC a alta dominância e a baixa estabilidade, ou seja, é dominante e impaciente. Tem 23 anos, é solteiro, recém-formado em Publicidade e trabalha há um ano como trainee em uma grande agência de publicidade.

Está insatisfeito, pois percebeu que as chances de se tornar gestor de negócios em uma grande empresa como a que ele está demoram a aparecer e, por isso, decidiu aceitar a proposta de uma pequena agência de publicidade. Ganhará menos, terá menos segurança, trabalhará mais, no entanto, participará de todos os projetos, pois a equipe é enxuta.

Com isso, calcula que suas chances de ser reconhecido, ganhar alguns prêmios e, portanto, se destacar, são significativamente maiores do que em uma companhia de grande porte. Se tudo der certo, ele imagina que em poucos anos estará suficientemente conhecido para ser contratado por uma grande empresa em posição de liderança ou para montar sua própria agência.

Aline tem como características mais marcantes do perfil DISC a alta influência e a baixa conformidade, ou seja, é extrovertida e criativa. Tem 35 anos, é divorciada e tem um filho de 12 anos.

É arquiteta e há cinco anos trabalha como gerente em uma loja de móveis planejados em uma capital do Nordeste.

O que mais lhe dá prazer, entretanto, é participar de eventos sociais, convenções e feiras de decoração. Tem excelente relacionamento com seus subordinados, com seus clientes e até com prestadores de serviço terceirizados, mas não está totalmente realizada.

Acaba de ser eleita presidente da associação dos arquitetos de sua cidade e decidiu pedir demissão de seu ótimo emprego (estável e bem remunerado) para trabalhar como relações-públicas e organizadora de eventos em sua área, usando sua grande network e, principalmente, a visibilidade que o novo cargo lhe propiciará. Sabe que os riscos são grandes, mas sua principal ambição é ser reconhecida e admirada profissionalmente por seus pares, o que, em sua avaliação, trará, no futuro, ótimos resultados, inclusive financeiros.

Ivo tem como características mais marcantes do perfil DISC a alta dominância e a alta influência, ou seja, é dominante e extrovertido. Tem 45 anos, é casado e tem dois filhos adolescentes. É diretor de marketing em uma multinacional e recebe excelente salário. Seu maior problema é que costuma gastar mais do que ganha, segundo ele, para compensar a infância de privações e anos de trabalho duro.

Troca de carro com frequência, promove festas caras e não mede esforços para parecer bem-sucedido. Está inadimplente com o financiamento de seu novo apartamento e enfrenta dificuldades até para manter as despesas corriqueiras da família.

Ivo está, literalmente, fragilizado, com a autoconfiança (que sempre foi seu ponto forte) abalada e com receio de ser demitido, pois, com todo esse estresse, seu desempenho profissional piorou. Ele se deu conta de que exagerou nos gastou e já abriu o jogo com a esposa e filhos sobre a necessidade de readequar os gastos da família.

Nos dois primeiros casos, o desejo por aprovação social é construtivo e provavelmente vai acelerar o sucesso profissional de Fernando e Aline. No caso de Ivo, a necessidade de ostentação criou problemas financeiros e pode prejudicar a carreira se não houver uma nova estratégia de ação.

Autorrealização

"O que uma pessoa poderá ser deverá ser." Essa frase de Abraham Maslow resume um dos mais importantes anseios dos seres humanos: expressar ao máximo suas potencialidades. Consciente ou inconscientemente, preencher essa necessidade é um desejo muito comum.

Autorrealizar-se é a motivação mais complexa, pois desperta no indivíduo a vontade de encontrar e cumprir seu propósito de vida. A natureza da profissão é importantíssima, já que, quando essa motivação é preponderante, a pessoa deve utilizar ainda mais intensamente o que faz melhor.

Os esportistas precisam competir, os desenhistas, desenhar, os autores, escrever e os líderes, comandar, se quiserem ficar em paz com eles mesmos. "Pessoas autorrealizadas têm uma consciência clara de seus impulsos, seus desejos, suas opiniões e ações como um todo", disse Maslow. Isso não quer dizer que sejam perfeitas ou que não cometam erros ou sintam-se seguras o tempo todo. Entretanto, como confiam em sua vocação, têm um conjunto de características que permite uma vida mais equilibrada e com menos altos e baixos.

Características dos indivíduos profissionalmente autorrealizados:

- têm boa percepção da realidade;
- conhecem sua vocação;
- são profissionalmente bem resolvidos;
- aceitam críticas sem se abater;
- analisam as consequências de seus atos.

O processo de autorrealização normalmente é lento, gradativo, exige experimentação constante, demora muitos anos – às vezes décadas – e nunca acaba. Pessoas comuns têm algumas dessas características e podem adquirir todas elas por meio do autoconhecimento e do aperfeiçoamento contínuo.

Vamos a três casos de pessoas que têm essa motivação como a preponderante.

Mauro tem como características mais marcantes do perfil DISC a alta estabilidade e a alta conformidade, ou seja, é paciente e detalhista. Tem 62 anos e é médico com especialização em clínica geral. Há trinta anos tem um consultório onde atende pacientes quatro dias por semana, das 8 às 18 horas.

A consulta é cara, e ainda assim há uma fila de espera de seis meses. Cada atendimento leva cerca de duas horas, durante as quais ele interage com paciência e boa vontade, procurando entender quem realmente é o paciente – hábitos, modo de vida, crenças, perfil, hobbies e nível de estresse – antes de proceder a qualquer exame. Ele diz que a maioria das doenças tem relação com aspectos emocionais e precisa entender a pessoa antes de tratar qualquer doença.

Para quem não pode pagar, ele atende pelo SUS um dia por semana, com o mesmo carinho e a mesma dedicação com que trata os pacientes particulares. Ele diz que adora a carreira, é bem-remunerado, faz diferença na vida das pessoas, e que, como tem boa saúde, trabalhará feliz pelo menos até os 90 anos.

Mesmo não sendo religioso, acredita que sua missão de vida é cuidar da saúde de todos os que passarem por ele. Por isso, parece nunca se cansar e está sempre de bom humor.

Jaqueline tem como características mais marcantes do perfil DISC a alta dominância e a baixa estabilidade, ou seja, é dominante e impaciente. Tem 45 anos, é casada, tem dois filhos adultos e trabalhou nas empresas da família até os 40 anos. Nos últimos cinco anos, dedica-se exclusivamente a administrar uma fundação que cuida de crianças carentes que sofreram maus-tratos e estão afastadas dos pais biológicos.

Diz que tem a vida financeira resolvida, os filhos são bem-sucedidos, as empresas da família, profissionalizadas e bem administradas. Suas prioridades estão relacionadas à proteção, à educação e ao encaminhamento dessas crianças até quando for necessário e possível. A fundação fornece toda a infraestrutura para que profissionais remunerados e voluntários contribuam com sua experiência.

Jaqueline diz que ajudar essas crianças a realiza tanto quanto ver os filhos bem encaminhados, e que todos deveriam doar uma parcela, mesmo que pequena, de seu tempo e de sua energia para ajudar os mais necessitados.

Daniel tem como características mais marcantes do perfil DISC a alta influência e a alta conformidade, ou seja, é extrovertido e detalhista. Tem 53 anos, é engenheiro civil, solteiro e acaba de se aposentar com excelentes rendimentos.

DESCUBRA O QUE O MOTIVA

Como cozinha muito bem, resolveu montar um pequeno restaurante com cardápio sofisticado, apenas para atender amigos e conhecidos. Achava que se realizaria com a atividade, ainda que não fosse muito lucrativa.

O problema é que ele gostava de cozinhar, mas não sabia administrar o negócio. Não cobrava as contas de muitos amigos, não acompanhava o desempenho dos funcionários e não controlava os custos, gerando despesas maiores do que a receita. Assim, o negócio faliu antes de completar um ano.

Daniel gastou mais da metade de sua reserva financeira, mas aprendeu que boa vontade não basta para gerir um negócio, mesmo que o propósito seja autorrealizar-se.

Nos dois primeiros casos, as pessoas estão autorrealizadas, satisfeitas e provavelmente continuarão produtivas por muitos anos. No terceiro caso, Daniel aprendeu que, se quiser continuar trabalhando, terá de optar por atividades que aprecie, mas que também saiba administrar.

Ficou curioso para saber sua escala motivacional?

Em seguida, você terá a oportunidade de preencher um teste para avaliar o percentual de cada uma de suas cinco motivações.

Teste suas motivações profissionais

Marque as opções com atenção e de acordo com o que você realmente sente, e não com o que gostaria de sentir. A pontuação de cada item varia de 0 a 5. Números altos ou baixos não são bons ou ruins, apenas representam uma parte importante de seus motivadores, os quais serão analisados após o preenchimento.

Marque a frequência com que você sente, faz ou gostaria de fazer em cada opção.

- **0** para Nunca.
- **1** para Quase nunca.
- **2** para Poucas vezes.
- **3** para Normalmente.
- **4** para Quase sempre.
- **5** para O tempo todo.

O dinheiro como motivador

_____ Boa remuneração é o que mais me motiva no trabalho.

_____ Abro mão do lazer se tiver chance de ganhar mais.

_____ Minha principal meta é alcançar a independência financeira.

_____ Ganhar bem é mais importante do que trabalhar no que gosto.

_____ Acho que ter aumento de salário é mais importante do que receber uma promoção.

_____ Gosto da pressão por resultados, desde que atrelada a bônus em dinheiro.

_____ Arriscaria abrir um negócio se tivesse chances de ganhar mais.

_____ Admito trocar um emprego seguro por outro arriscado se ganhar no mínimo 30% a mais.

_____ Prefiro ganhar por comissão a ter salário fixo.

_____ Trocaria de profissão para ganhar mais.

_____ **SOMA 1**

A segurança como motivador

_____ Prefiro trabalhos estáveis.

_____ Bom ambiente de trabalho é mais importante do que dinheiro.

_____ Segurança no emprego é fundamental.

_____ Tenho receio de trocar de emprego e me arrepender.

_____ Sinto-me desconfortável ao mudar minha rotina de trabalho.

_____ Faço seguros (da casa, de vida, do carro etc.).

_____ Evito trocar o certo pelo duvidoso.

_____ Não sou profissionalmente ousado.

_____ Prefiro salário fixo, mas garantido.

_____ Gostaria de passar mais tempo com a família, mesmo ganhando menos.

_____ **SOMA 2**

O aprendizado como motivador

_____ Aprendizado profissional é minha prioridade.

_____ Gostaria de conhecer outros setores da empresa, mesmo sem ganhar mais.

_____ Não me importo em fazer cursos nos fins de semana.

_____ Aceitaria um emprego para ganhar menos se o aprendizado valesse a pena.
_____ Prefiro trabalhar em locais nos quais haja muitos treinamentos.
_____ Gosto de chefes que orientam.
_____ Leio mais do que a maioria de meus colegas.
_____ Penso em fazer outra faculdade ou pós-graduação.
_____ Faria um estágio não remunerado para aprender coisas interessantes.
_____ Gosto de estudar, mesmo no período de férias.
_____ **SOMA 3**

Aprovação social como motivador

_____ Aprecio o reconhecimento público.
_____ Gostaria de ser famoso.
_____ Procuro ter desempenho melhor do que o de meus colegas.
_____ Penso que uma promoção é mais relevante do que um aumento de salário.
_____ Gosto de demonstrar meus talentos.
_____ Prefiro trabalhar em empresas que propiciem rápido crescimento.
_____ Gosto de causar impacto.
_____ Penso que receber homenagens é mais importante do que receber prêmios em dinheiro.
_____ Faria trabalho extra para ser promovido.
_____ Procuro demonstrar meu sucesso.
_____ **SOMA 4**

Autorrealização como motivador

_____ Dinheiro não é importante.
_____ Adoro minha profissão ou meu trabalho.
_____ Minha prioridade é ajudar os colegas.
_____ Faço trabalhos voluntários.
_____ Sinto-me realizado profissionalmente.
_____ Prefiro trabalhar no que gosto, mesmo que ganhe menos.
_____ Sinto-me seguro perante a vida.
_____ Conheço bem meus talentos.
_____ Conheço bem meus defeitos.
_____ Conheço minha missão na vida.
_____ **SOMA 5**

Exemplo de como preencher os resultados
Resultado

Soma 1 = 12

Soma 2 = 22

Soma 3 = 8

Soma 4 = 5

Soma 5 = 15

Total = 62

Cálculo dos percentuais

1 – Soma 1 (12) × 100
Dividir pelo total (62) = 19,3% Dinheiro

2 – Soma 2 (22) × 100
Dividir pelo total (62) = 35,5% Segurança

3 – Soma 3 (8) × 100
Dividir pelo total (62) =   12,9% Aprendizado
4 – Soma 4 (5) × 100
Dividir pelo total (62) =   8% Aprovação social
5 – Soma 5 (15) × 100
Dividir pelo total (62) =   24,3% Autorrealização

Soma   100%

Agora preencha os dados de seus resultados

Soma 1 = _____
Soma 2 = _____
Soma 3 = _____
Soma 4 = _____
Soma 5 = _____
Total = _____

Cálculo dos percentuais

1 – Soma 1 _____ × 100
Dividir pelo total _____ = _____% Dinheiro
2 – Soma 2 _____ × 100
Dividir pelo total _____ = _____% Segurança
3 – Soma 3 _____ × 100
Dividir pelo total _____ = _____% Aprendizado
4 – Soma 4 _____ × 100
Dividir pelo total _____ = _____% Aprovação social
5 – Soma 5 _____ × 100
Dividir pelo total _____ = _____% Autorrealização

Análise dos resultados

Quanto maior o percentual de um motivador, menor importância terão os outros motivadores. Não estamos aqui para analisar, neste momento, por que você se sente assim. Por isso, gostar mais de dinheiro ou de segurança ou de *status* ou de aprendizado não é necessariamente bom ou ruim. Apenas reflete suas necessidades motivacionais no contexto atual.

É claro que há diferenças de valores e de percepções entre as diversas gerações, mas éramos, somos e provavelmente seremos impulsionados por essas mesmas cinco motivações profissionais.

Entretanto, ao contrário do perfil DISC, os percentuais de nossas motivações podem mudar durante a vida, pois, quando nos sentimos saciados em um dos motivadores, tendemos a desejar mais fortemente outro.

Compare seus resultados e analise com que intensidade cada fator o motiva. Sabendo disso, ficará muito mais fácil para o condutor convencer o elefante a aceitar algumas novas condutas.

Como decidir onde trabalhar

Na prática, sua produtividade e sua satisfação profissional têm forte relação com a adequação de seu perfil DISC ao cargo que ocupa e à intensidade de sua motivação. Para ser bem-sucedido, você deveria priorizar carreiras que ofereçam condições de satisfazer sua motivação mais intensa. As empresas têm quatro moedas de troca ou fatores motivacionais:

1ª) **Dinheiro:** Está relacionado ao salário, à comissão, ao 13º salário, aos bônus e aos outros mecanismos de recompensa monetária.

2ª) **Segurança:** Tem relação com as garantias de tudo aquilo que foi combinado, com a estabilidade, com regras claras, assim como com o bem-estar físico obtido por meio de instalações confortáveis, equipamentos adequados e bom ambiente de trabalho.

3ª) **Aprendizado:** É toda expertise que a empresa proporciona por meio de treinamentos formais e, principalmente, informais que se adquire durante o trabalho pelo relacionamento com pessoas dispostas a compartilhar conhecimento.

4ª) **Reconhecimento:** É como a empresa proporciona aprovação social: elogios públicos, promoções e oportunidades de crescimento profissional.

A autorrealização não é uma moeda de troca necessariamente oferecida por empresas, porque depende mais do indivíduo e é algo que dificilmente poderá ser formalmente ofertado a alguém por um empregador.

Como vimos, cada indivíduo tem necessidades em diferentes intensidades. Alguns desejam ganhar mais dinheiro, outros preferem segurança, muitos, o reconhecimento, e há aqueles que consideram o aprendizado como o fator mais importante.

Quem prioriza o dinheiro, inconscientemente deixará em segundo plano as outras moedas, abrindo mão da segurança e do tempo para estudar. Quem prefere um trabalho que proporcione mais segurança, terá uma carreira mais estável, contudo provavelmente ganhará menos e obterá menos reconhecimento. Não há uma opção melhor do que a outra, apenas consequências. Vamos a um exemplo prático.

Digamos que sua fórmula ideal de motivação (com base no teste que você preencheu), em termos percentuais, seja 15% de dinheiro, 20% de segurança, 10% de aprendizado, 35% de aprovação social e 20% de autorrealização. Se você trabalha, por exemplo, há um ano em uma empresa que oferece o aprendizado como principal motivador, mas que fornece pouquíssimo *feedback* e só dá oportunidades de promoção para quem tem mais de dez anos de casa, você se desmotivará rapidamente, pois o que ela propõe não tem relação com sua principal motivação, que é o reconhecimento. Nesse caso, você deveria procurar companhias com histórico de promover rapidamente pessoas que se destaquem, independentemente do tempo de casa.

Por isso será muito importante identificar a fórmula realmente oferecida. O problema é que a maioria das empresas não deixa isso claro, e será necessário que você analise o peso aproximado de cada motivador. A fórmula tem a ver com a estrutura, os valores e a cultura da organização, e não com o discurso de seus gestores.

Antes de aceitar qualquer proposta, é preciso pesquisar como o negócio funciona na prática, pois são comuns os casos de profissionais que saem de empregos estáveis e seguros atraídos pela proposta de melhores salários, ou promessas de ascensão meteórica, ou de treinamento intensivo, e, meses depois, descobrem que entraram em uma organização que não cumpre seus acordos ou que exagerou ao prometer benefícios que não foram efetivamente entregues.

Infelizmente, há pessoas que têm por hábito recrutar profissionais de primeira linha para aproveitar sua expertise, mas não conseguem bancar o que foi prometido.

Portanto, fique atento! Depois da última entrevista de seleção (logo após receber a proposta de trabalho), você deveria pedir para conversar com algumas pessoas da empresa e descobrir como funcionam as coisas por lá. Explique que não se trata de desconfiança, mas de cuidado para entender que tipo de profissional a empresa realmente busca e como trata aqueles que se destacam.

Procure descobrir qual é o período que trabalham os funcionários mais antigos e como eles agem para permanecer por tanto tempo. Analise o perfil de quem tem dado certo em um cargo ou função parecida com a que lhe oferecem: eles são dominantes ou obedientes? Ousados ou conservadores? Ágeis ou pacientes? Criativos ou organizados? Como é a cultura organizacional? Quais os benefícios oferecidos? Quem são os principais clientes? Qual é o histórico da empresa e sua reputação no mercado? Como é feita a comunicação via mídias sociais?

Empresas sérias não se opõem a isso, e muitas até estimulam a iniciativa de interagir previamente com os profissionais que lá trabalham. Munido de todas essas informações, será muito mais fácil entrar em uma companhia que tenha relação com seu perfil DISC e com seus motivadores profissionais.

No capítulo 5, analisaremos a terceira camada de seu *iceberg* profissional: seus talentos naturais e como melhor aproveitá-los.

5
Identifique e use seus principais talentos

- Perfil
- Motivadores
- **Talentos**
- Atitudes
- Pontos limitantes

Agora que você já conhece seu perfil DISC e sua fórmula motivadora, precisará identificar, aprimorar e usar de maneira mais intensa seus principais talentos, que muitas vezes também são inconscientes, instintivos e, portanto, comandados por seu elefante. Ter talentos é excelente, mas não aproveitá-los significa perder oportunidades. Por isso, é preciso que seu condutor saiba quais são eles.

Segundo o consultor Geoff Colvin (no livro *Desafiando o talento*), "talento é uma aptidão natural para fazer alguma coisa melhor do que a maioria das pessoas e de maneira consistente". Ou seja, é algo que fazemos bem-feito, naturalmente, com pouco esforço e com bons resultados.

Quando identificamos e aprimoramos nossos talentos, os resultados aparecem com maior rapidez, a carreira evolui e nos tornamos cada vez mais produtivos.

O interessante é que, até poucas décadas atrás, o repertório de estudos sobre talentos era restrito às variações da inteligência lógico-matemática, até que em 1981 o psicólogo e cientista comportamental Howard Gardner apresentou a teoria das inteligências múltiplas no livro *Estruturas da mente*. Seus estudos apontavam que: existiam pelo menos oito inteligências; as pessoas são habilidosas de diferentes maneiras; nem todos aprendem do mesmo modo; a mescla de algumas inteligências gerava um indivíduo talentoso à sua maneira e muito difícil de ser analisado sobre o prisma de um único talento, porque apresentava um pouco de vários.

Passados quase quarenta anos, tais estudos foram aprofundados e aperfeiçoados por dezenas de outros pesquisadores, que incorporaram outras formas de inteligência ou talento à teoria original. Apresentarei, a seguir, um resumo de dez talentos (ou inteligências) aplicáveis em diversas carreiras ou profissões.

Talento artístico-corporal

É a capacidade de utilizar o corpo para se expressar em atividades artísticas ou corporais. Essa habilidade aparece em diferentes categorias de atores, malabaristas, bailarinos, mímicos, comediantes etc. Manifesta-se também na percepção de diferentes sons, sensibilidade para se adaptar a diferentes ritmos, dom para tocar instrumentos ou para cantar.

Também possuem uma variação desse talento as pessoas que têm habilidade e destreza no uso das mãos, como artesãos, cirurgiões e os que usam o corpo para executar seus trabalhos. Vamos a um exemplo de quem tem esse talento em alta intensidade.

Igor começou a demonstrar grande talento para tocar violino aos 5 anos. Seus pais conseguiram matriculá-lo nas melhores escolas de música do país e, aos 12 anos, ele obteve uma bolsa de estudos para aperfeiçoar suas habilidades na Alemanha. Aos 16 anos, foi considerado o melhor aluno da turma; aos 20, começou a participar de testes nas orquestras mais importantes do mundo e, aos 25, ainda não foi aceito por nenhuma orquestra de primeira categoria, apesar de ter grande talento.

Um dos motivos é que Igor demonstra, com frequência, algumas atitudes ruins. É arrogante, chega atrasado aos ensaios, tenta impor seus argumentos de maneira agressiva e, nos últimos meses, discutiu com três diferentes maestros.

O mercado de música clássica é relativamente pequeno e sua fama de pessoa difícil se espalhou.

Depois de muito refletir, Igor admitiu alguns erros e começou a fazer sessões de aconselhamento com um mentor que ele admira e respeita para corrigir e melhorar sua maneira de agir. Voltou a tocar com o brilhantismo de sempre, foi aceito por uma orquestra não tão famosa e tem demonstrado mais equilíbrio emocional. Seu grande desafio será convencer as grandes orquestras de que sua postura mudou e que terá humildade para galgar cada estágio, aos poucos. Ele agora comenta: "Sei que tenho grande talento musical, no entanto admito que deveria ter me dedicado mais aos estudos e, principalmente, ser menos prepotente. Meu trabalho requer paciência e cuidado na postura para não melindrar as pessoas mais influentes, que são muito mais poderosas do que eu".

A saída de Igor, assim como de muitas pessoas talentosas, é cuidar para não se transformar em alguém difícil de conviver. A genialidade abre muitas portas, mas não garante sucesso se não vier acompanhada de outras habilidades.

Talento esportivo

É a habilidade mecânico-fisiológica para se destacar em esportes competitivos. Tem forte componente genético e, quanto mais cedo (entre os 5 e os 7 anos) começar a ser desenvolvida, melhor será o aproveitamento. O auge do desempenho na maioria dos esportes acontece, normalmente, na faixa dos 18 aos 35 anos. A partir disso, progressivamente, diminui a capacidade de o indivíduo competir em alto nível por questões relacionadas ao envelhecimento natural. Vamos a um exemplo de pessoa com esse talento em alta intensidade.

Clara sempre adorou todo tipo de esportes. Aos 7 anos, com a orientação de professores, começou a se dedicar exclusivamente ao tênis, pois era o esporte no qual mais se destacava. Era quase obsessiva nos treinos diários, sendo a primeira a chegar e a última a sair, sem nenhuma pressão dos pais ou professores. A partir dos 10 anos, começou a competir em outras cidades e, aos 13, em outros estados. Ganhou vários torneios e durante três anos seguidos foi a primeira colocada no ranking nacional amador.

Aos 16 anos começou a competir no exterior, ganhou alguns torneios e, mesmo sendo extremamente dedicada e competitiva, nunca conseguiu chegar entre as dez melhores do ranking juvenil mundial.

Aos 18 anos, conseguiu ser treinada pelo melhor técnico do país e tornou-se tenista profissional, com postura e dedicação admirados por todos.

Mesmo com tanto esforço, nunca conseguiu um título relevante, e sua melhor classificação ficou abaixo das duzentas melhores do mundo.

Entre os 23 e os 28 anos teve várias lesões graves, chegou a realizar cinco cirurgias e, depois de muito relutar, encerrou a carreira e comentou: "Tive uma boa experiência esportiva, conheci o mundo todo, competi com as melhores jogadoras, ganhei algum dinheiro e, principalmente, conquistei o respeito das pessoas que conviveram comigo. Analisando tudo, na verdade, o que faltou foi um pouco mais de talento! Treinava seis horas por dia, quase todos os dias, tinha ótimo preparo físico e, no entanto, perdia para algumas garotas de 16 anos que treinavam pouco, não corriam tanto em quadra, mas jogavam com muito mais habilidade do que eu".

Clara não se abateu. Cursou a faculdade de Educação Física e, aos 32 anos, começou uma bem-sucedida atividade. Passou a administrar a carreira de atletas promissores e, por ser muito dedicada, comprometida, bem-relacionada e respeitada, tem obtido excelentes resultados.

Talento relacional

Pessoas com esse talento têm a capacidade de interpretar rapidamente o estado de espírito, as motivações, as intenções e os desejos de outras pessoas. Com essa habilidade, conseguem estabelecer uma vasta rede de relacionamentos e até analisar a personalidade de estranhos em poucos minutos. Além disso, têm grande flexibilidade e desenvoltura para se adaptar aos mais diferentes ambientes.

Como profissionais, costumam ser persuasivos, desempenhando-se perfeitamente bem em atividades ligadas ao relacionamento. Podem ajudar os outros a progredir na carreira e se destacam como analistas, psicólogos, negociadores, consultores, vendedores e em outras profissões que lhes permitam atuar como conselheiros, mentores ou gestores de outros indivíduos.

Como você pode perceber, o grande talento de Clara é relacional, e não esportivo. E que o problema de Igor é a quase ausência desse talento. Vamos a um exemplo de quem tem essa inteligência em alta intensidade.

> ***Hilan*** trabalhou quase vinte e cinco anos em um banco de grande porte, passando por quase todos os cargos: office-boy, auxiliar administrativo, caixa, supervisor de crédito, gerente de agência, gerente regional, até chegar à diretoria de recursos humanos. Seu principal atributo foi ter grande empatia. Sempre teve facilidade para se colocar no lugar do outro e, dentro do possível, procurava atender às necessidades dos clientes – e subordinados, respeitando as regras da empresa. Além disso, mediava conflitos entre seus pares e até superiores hierárquicos, e

era justo tanto nas promoções que concedia quanto nas demissões que realizava, conquistando o respeito de todos.

Após cinco anos como diretor, decidiu que já havia cumprido sua missão como executivo e decidiu abrir uma consultoria de recursos humanos, cujo foco é melhorar o ambiente de trabalho nas empresas para, então, conquistar melhores resultados financeiros. Apesar de estar apenas seis meses na nova empreitada, já conquistou vários clientes e está determinado a fazer a diferença na vida das pessoas.

Talento espacial

É a habilidade de entender o posicionamento de objetos, desenhar, projetar ou se localizar facilmente, mesmo em lugares desconhecidos, em decorrência do excelente senso de orientação. É normalmente encontrado em profissionais como pintores, desenhistas, projetistas e arquitetos. Também costumam ser dotados desse talento pilotos e navegadores. Vamos a um exemplo de pessoa que tem esse talento em alta intensidade.

Jéssica sempre teve habilidade para escrever e desenhar revistas em quadrinhos e, como sempre foi tímida, passava a maior parte de seu tempo livre trancada no quarto desenhando principalmente histórias de ficção científica, principalmente. Seus pais eram médicos bem-sucedidos (ela era filha única) e faziam pressão para que ela também seguisse a profissão deles.

Apesar de muito relutar, Jéssica entrou em uma faculdade de Medicina para agradar os pais, mas, em menos de dois anos, apresentou um quadro de depressão, pois odiava as matérias, ao mesmo tempo que temia entrar em conflito com a família.

Após muitos desgastes, resolveu sair de casa e empregou-se em uma pequena empresa para projetar videogames de ação.

Ela obteve tanto sucesso que, em três anos, foi contratada por uma companhia de classe mundial, não somente para desenhar, mas para desenvolver enredos de vários jogos. Suas ilustrações e seus roteiros renderam milhões, e ela está se sentindo realizada, pois usa ao máximo seu principal talento.

Seus pais finalmente compreenderam que ela estava seguindo o próprio caminho e até o relacionamento entre eles melhorou.

Talento linguístico

É a habilidade de utilizar a linguagem para se expressar de maneira convincente. Algumas pessoas possuem excelente articulação verbal e conseguem se comunicar de modo claro e impactante, enquanto outras conseguem usar essa capacidade na forma escrita. Aqui estão contemplados escritores, poetas, oradores, vendedores, negociadores, relações-públicas, professores e pessoas com boa retórica. Vamos a um exemplo de quem tem esse talento em alta intensidade.

Márcio sempre deu duro desde a infância. Aos 20 anos, trabalhava como operador de equipamentos de som e imagem em um centro de convenções para grandes eventos. O que mais lhe dava prazer era assistir às palestras, pois manejava toda a parafernália (microfones, datashow, iluminação etc.) para os oradores. Ele nunca perdia a chance de pedir dicas, sugestões de leitura e conselhos para quem se dispunha a atendê-lo.

Fez cursos de oratória, aprendeu a fazer apresentações em diversas modalidades e fez aulas de teatro para melhorar a desenvoltura. Depois de algum tempo, começou a preparar o material de apresentação de alguns instrutores, escrever pequenos textos e, como era bom orador, passou a ser convidado para dar palestras informais em pequenas empresas, escolas de ensino médio e lojas de varejo que não podiam contratar eventos caros.

Praticamente todas as semanas fazia apresentações sobre temas relacionados ao bom atendimento. No começo fazia isso gratuitamente, depois começou a cobrar um preço simbólico. Há dois anos, saiu do centro de convenções e vive exclusivamente de sua habilidade de falar em público.

Continua participando de treinamentos e palestras de terceiros, mas agora faz parte da plateia pagante.

Talento naturalista

É o talento para analisar os fenômenos da natureza, identificando, classificando e compreendendo os sistemas naturais. Aqui se destacam cientistas, ecologistas, agrônomos, veterinários, meteorologistas, físicos, geólogos, astrônomos, químicos etc. Vamos a um exemplo de quem tem esse talento em alta intensidade.

Rui era um conceituado economista que, aos 35 anos, tinha sólida carreira como executivo em uma empresa multinacional. Ele adorava pescar e passava os dias de folga ou férias procurando lugares inexplorados para praticar seu hobby. Começou em um sítio perto de sua cidade, conheceu pesqueiros, aprendeu técnicas de arremesso para pescar na praia e nos costões, e saía em pequenas embarcações para conhecer as estratégias de pescadores profissionais. Participou de algumas feiras no exterior e começou a praticar a modalidade de pesca com iscas artificiais, sendo um dos pioneiros dessa prática no Brasil. Aos poucos, começou a se aventurar em lugares cada vez mais distantes da civilização, e chegou a ficar semanas habitando aldeias indígenas na região amazônica e pescando em pequenas canoas artesanais.

Rui fotografava os peixes e escrevia artigos sobre suas pescarias, que quase nunca eram publicados, pois não existiam revistas especializadas no país. Ele começou a praticar e defender a pesca esportiva, ou seja, o peixe era fotografado e devolvido à natureza (no início dos anos 1980, isso era muito estranho), preservando o ambiente e dando possibilidade para que os moradores locais, que antes matavam os pescados, trabalhassem como guias e aumentassem sua renda familiar.

Ele resolveu deixar o emprego formal e editar uma revista sobre essa modalidade de pesca. Ao mesmo tempo, começou a fazer algumas filmagens amadoras, e o resultado foi tão bom que ele acabou protagonizando programas de pesca na TV aberta. Ele transformou sua paixão naturalista em um trabalho reconhecido e admirado no mundo todo. Rui vive, há mais de vinte anos, exclusivamente de seu sonho de levar para a pesca esportiva um público muito maior e ainda preservar a natureza.

Talento lógico-matemático

É o atributo de pessoas com grande habilidade cognitiva, que conseguem chegar rapidamente a conclusões baseadas em dados numéricos e no raciocínio lógico.

Costumam ter facilidade para gravar informações, dados e números, inclusive aqueles com que têm contato pela primeira vez. É um talento comum nos indivíduos que raciocinam com muita rapidez. Aqui entram os matemáticos, gestores, financistas e demais profissionais que têm facilidade para lidar com informações complexas simultaneamente e para tomar decisões assertivas em pouco tempo. Vamos a um exemplo de pessoa que tem esse talento em alta intensidade.

Sílvia sempre foi intelectualmente brilhante. Começou a falar antes de completar 1 ano e, aos 3, lia e escrevia várias palavras. Estudava em escola pública, pois seus pais não tinham recursos para matriculá-la em colégios particulares. Aos 7 anos, estava extremamente entediada com os estudos, pois tudo lhe parecia muito fácil e repetitivo. Como tirava nota máxima em todas as matérias, começou a ser perseguida pelos colegas. Para manter uma convivência menos sofrida, cometia erros propositais para tirar notas abaixo da média, a ponto de quase ser reprovada no segundo ano. Felizmente, uma das professoras percebeu o sofrimento de Sílvia e lhe conseguiu uma bolsa de estudos em uma instituição para crianças especiais.

Recebendo estímulos adequados, o talento de Sílvia pôde ser desenvolvido ao máximo. Como não havia restrição à quantidade de matérias, ela cursou o equivalente a três anos em um único ano e conseguiu permissão para ingressar na universidade mais cedo. Concluiu a graduação em pedagogia aos 18 e, aos 20, terminou o doutorado na área. Apesar de receber dezenas de convites para trabalhar como professora universitária, optou por permanecer na instituição, onde foi acolhida, para dar aulas e fazer pesquisas, para ajudar crianças especiais como foi o caso dela.

Talento executor

Pessoas com esse talento têm a habilidade de colocar a "mão na massa" e conseguem fazer as mais diferentes tarefas, pois aprendem com facilidade, primeiro observando outras pessoas mais experientes e depois testando o aprendizado na prática. São objetivas e focadas nos resultados, testando soluções na base da tentativa e erro. Elas repetem a execução quantas vezes forem necessárias até que o resultado lhes agrade. São extremamente úteis nas empresas, pois costumam ser flexíveis a ponto de ocupar cargos e funções diferentes, conforme a necessidade da companhia. Vamos a um exemplo de pessoa que tem esse talento em alta intensidade.

Douglas ia para escola por imposição dos pais, pois era hiperativo e tinha dificuldade para se concentrar, tendo sido várias vezes expulso da sala. Era autodidata e aprendia muito mais facilmente matérias que exigiam atividades práticas e sofria quando o assunto era mais teórico. Repetiu de ano algumas vezes e, aos trancos e barrancos, conseguiu concluir o ensino médio, mas se recusou a cursar alguma faculdade, pois preferia trabalhar em período integral.

IDENTIFIQUE E USE SEUS PRINCIPAIS TALENTOS

Nos empregos, nunca gostou de fazer relatórios ou participar de reuniões, e se orgulhava de aprender quase tudo na prática, sem precisar ler manuais. Quando recebe uma nova missão, pede apenas uma coisa: "Fazer do meu jeito". Teve poucos empregos, mas sempre bem-remunerados. Já recebeu inúmeros convites para ser sócio de pequenas empresas, mas nunca aceitou porque tem aversão à burocracia e a qualquer tipo de formalismo.

Sente-se muito melhor trabalhando em empresas que lhe dão autonomia e estabilidade para fazer o trabalho ao seu estilo, do que tendo sócios ou subordinados. Ele pensa em trabalhar sozinho, como consultor autônomo, com a proposta de ser remunerado com um percentual dos lucros extras que seu trabalho gerar.

Talento empreendedor

Pessoas com esse talento sentem que nasceram para construir negócios e, não raro, começá-los do zero. Conseguem integrar diferentes perfis profissionais no mesmo ambiente e extrair das pessoas o que elas têm de melhor. Quando percebem dificuldades ou o negócio se mostra pouco promissor, vendem, trocam ou simplesmente fecham e começam outra empreitada, sem demonstrar muito apego. O ciclo normalmente se repete, e é comum que tenham vários negócios ao mesmo tempo. Vamos a um exemplo de pessoa que tem esse talento em alta intensidade.

Robson é um empreendedor nato. Começou seu primeiro negócio aos 13 anos, comprando e vendendo figurinhas raras em escolas do bairro onde morava. Aos 16, montou uma oficina especializada em reforma de carros antigos. Aos 20 anos, tinha uma revenda de motocicletas usadas e, aos 30, já havia aberto, vendido, trocado e fechado mais de dez empresas. Até poucos meses atrás, tinha como principal negócio uma indústria de autopeças. Vendeu sua participação para um fundo de investimentos por um valor tão alto que nunca mais precisaria trabalhar.

Pensou em descansar ou fazer um período sabático de um ano para depois voltar a empreender, mas a intenção durou apenas duas semanas. Robson ficou entediado, começou a procurar novos negócios e, em três meses, comprou duas diferentes franquias em lojas de shoppings, investindo cerca de 30% do valor ganho com o negócio anterior. Deixou dois sócios minoritários de sua confiança gerindo esses negócios e já está planejando abrir outras frentes.

Talento criativo-intuitivo

Trata-se da capacidade do indivíduo para antecipar tendências e perceber, antes da maioria, as consequências de ações mercadológicas, gerenciais ou mesmo das estratégias de outras empresas. Como seu ponto mais forte é criar, normalmente precisa de pessoas com boa capacidade de execução para transformar suas ideias, suas intuições e seus palpites em produtos ou serviços comercialmente viáveis. Vamos a um exemplo de pessoa que tem esse talento em alta intensidade.

Marisa sempre teve "sexto sentido" para detectar tendências na moda e trabalhou por dez anos como executiva em uma grife internacional. Depois de muito pensar, resolveu ser consultora na área, trabalhando com apenas duas funcionárias e prestando serviços a empresas do ramo.

Ficou nessa atividade por dois anos e resolveu voltar ao mercado formal, pois sentia falta do ambiente corporativo e da convivência com muitas pessoas no dia a dia. Não gostou de trabalhar para várias empresas e acha que perdeu um pouco do seu foco e, principalmente, da sua criatividade por transitar em áreas muito diferentes e não conseguir criar vínculo emocional com muitos clientes ao mesmo tempo.

Participou de processos seletivos, recusou algumas propostas e finalmente encontrou um novo emprego. Atualmente, é diretora de criação de outra grande grife e está mais realizada do que nunca. Sua intuição e sua criatividade voltaram a funcionar, e ela sente que pode usar ao máximo seus talentos, contando com outras pessoas para implementar suas ideias.

Analise seus talentos

Dê uma nota para a **intensidade** de cada um dos dez talentos em sua personalidade seguindo o seguinte critério:

1. **Baixa:** Ninguém tem todos os talentos, e esse não é o seu forte.
2. **Média:** Você provavelmente não se destacará nesse quesito, mas poderá usá-lo como complemento para outros talentos.
3. **Alta:** Se você tem esse talento em alta escala, deveria procurar profissões em que possa usá-lo na maior parte do tempo.
4. **Altíssima:** Mais do que um talento, para você, essa capacidade é um dom. Valerá a pena aprimorar ainda mais essa habilidade para que, se ainda não é, ela se torne o principal pilar de sua profissão.

TALENTO	INTENSIDADE
Talento artístico-corporal	_____
Talento esportivo	_____
Talento relacional	_____
Talento espacial	_____
Talento linguístico	_____
Talento naturalista	_____
Talento lógico-matemático	_____
Talento executor	_____
Talento empreendedor	_____
Talento criativo-intuitivo	_____

Análise dos talentos

Agora que você já conhece os dez talentos, é importante enfatizar que eles funcionam combinados e que qualquer profissão envolverá a mistura de alguns deles. Isso significa, por exemplo, que um arquiteto precisaria utilizar ao menos dois talentos, como por exemplo o talento espacial e o talento relacional. Ou seja, além da habilidade para fazer projetos bem-feitos, esse arquiteto seria muito beneficiado pela capacidade de relacionar-se bem com seus clientes.

Um diretor financeiro, por exemplo, além do talento lógico-matemático, poderia ter outro talento complementar, mesmo que em média intensidade, para dar mais consistência ao trabalho. Um palestrante de alto nível provavelmente reunirá, além do talento linguístico, também o artístico para envolver seu público.

Pode ocorrer de a pessoa não ter nenhum desses talentos em alta intensidade. Em compensação, pode ter um grau mediano de três ou quatro dessas capacidades, que, dependendo de como forem usadas, trarão excelentes resultados em sua área de atuação.

Um talento passa a ser útil profissionalmente apenas a partir da intensidade "média". Para efeitos práticos, é possível, com esforço e disciplina, subir um degrau na intensidade de um ou dois talentos. Isso significa que, se você tem um desses talentos em baixa intensidade, pode, depois de muita dedicação, passar para uma intensidade mediana, ou de mediana para alta intensidade, ou de alta para altíssima.

Por isso, o melhor investimento para ocupar um excelente posicionamento profissional será aprimorar seu talento principal. Se você tem talento linguístico em alta intensidade, deveria se preparar para transformá-lo em altíssima intensidade.

Se fizer isso, você vai se destacar muito mais rapidamente, pois estará aprimorando uma característica natural de seu elefante, que, em vez de resistir, usará toda sua força para produzir melhores resultados.

No próximo capítulo, veremos a importância das atitudes positivas na construção de uma carreira de sucesso.

6
Aprimore suas atitudes

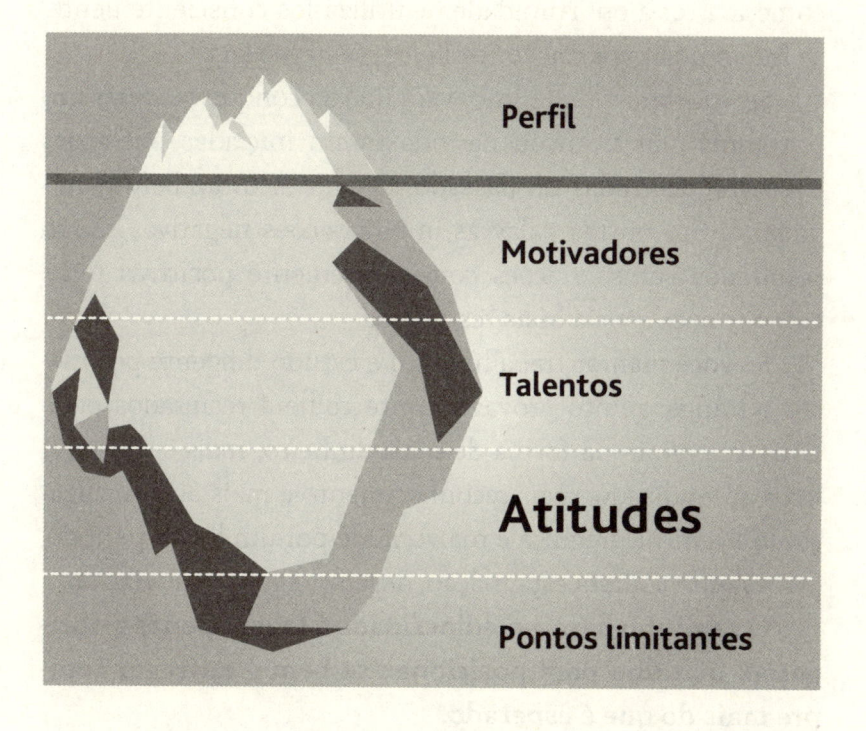

- Perfil
- Motivadores
- Talentos
- **Atitudes**
- Pontos limitantes

Nossa mente pode ser comparada a uma filmadora altamente sensível, que, mesmo sem percebermos, funciona vinte e quatro horas por dia gravando tudo o que fazemos, sentimos e pensamos. Sob o ponto de vista neurológico, experiências que são repetidas muitas vezes deixam marcas mentais ou caminhos neurais vigorosos, que ficam impressos permanentemente no cérebro. É por isso que tenho usado a metáfora do elefante/condutor durante todo o livro: quando passamos pelo mesmo comportamento centenas ou milhares de vezes durante a infância e adolescência, a tendência será repeti-lo outras milhares de vezes na vida adulta, o que acaba tornando esse comportamento automático, inconsciente e, portanto, parte da estrutura mental de nosso elefante. Quando, entretanto, o condutor percebe esses comportamentos, começa a ter a oportunidade de utilizá-los conscientemente, se forem positivos, ou controlá-los, se negativos.

Se você prestar atenção, verá que as conquistas mais importantes que alcançou na vida foram iniciadas por ações positivas realizadas no passado. O contrário também é verdadeiro. Em outras palavras, muitas ações negativas trarão resultados ruins, e ações consistentemente positivas terão como consequência bons resultados.

Se você plantar trabalho duro e estudo diligente por meses ou anos, muito provavelmente colherá resultados positivos, que virão na forma de mais dinheiro, mais segurança, mais aprendizado, mais reconhecimento e mais autorrealização. Se semear preguiça e má vontade por um longo período, certamente colherá estagnação, desemprego e insatisfação.

O caminho para a mediocridade é fazer apenas a obrigação; o atalho para posicionar-se bem é entregar sempre mais do que é esperado.

Para resumir, o que gera boa reputação profissional é o efeito acumulado de anos de atitudes positivas. Se, além de usar as características mais marcantes de seu perfil DISC, você priorizar sua principal motivação, aprimorar seus talentos e praticar boas atitudes no dia a dia, construirá um patrimônio que, acumulado por anos, será de grande valor.

Existem muitas atitudes positivas a serem comentadas. No entanto, selecionei as que, na minha observação, são de grande relevância para o sucesso profissional, independentemente da área de atuação. É importante salientar que é muito difícil alguém ter todas essas atitudes, mas qualquer uma delas pode ter sua intensidade aumentada se você se esforçar para isso. Vamos a elas.

Disposição: É a capacidade de estar sempre alerta, motivado e disponível para as mais diferentes tarefas, sem ninguém mandar. Pessoas muito dispostas são cada vez mais essenciais, pois têm uma capacidade de trabalho redobrada, não desanimam facilmente e servem de exemplo para quem as rodeia. Em muitas empresas, é a atitude mais valorizada e recompensada.

Hiroshi é professor aposentado, mora na casa da filha mais nova e, mesmo com mais de 80 anos, costuma ajudar nas tarefas domésticas, mas principalmente em serviços de jardinagem, aparando a grama, podando árvores e cuidando das flores. A filha e o genro sentiram pena de ver o velhinho trabalhando tanto e, sabendo que ele não escutaria seus apelos, resolveram esconder suas ferramentas para evitar que ele fizesse trabalhos externos. Naquele dia, Hiroshi não comeu. No dia seguinte, também não.

"Ele deve estar triste por termos escondido suas ferramentas", imaginaram os netos, que as devolveram. Nesse dia, o velhinho trabalhou e comeu com a mesma disposição de sempre. À noite, quando lhe perguntaram por que se recusou a comer, ele respondeu: "Tenho boa saúde, sou bem tratado e não acho justo ficar sem trabalhar. Como vocês não aceitam que eu pague minhas despesas, preciso contribuir com algo que faço bem e com prazer. Deixo a propriedade mais bonita, faço exercícios e retribuo o carinho de vocês sendo útil".

Hiroshi atualmente já passou dos 90 anos e continua a trabalhar no que chama de "o jardim mais bonito da cidade".

Pontualidade: É cada vez mais relevante em um mercado tão competitivo e disputado como o atual. Ser pontual não significa apenas chegar no horário, mas cumprir prazos ou negociá-los previamente. Implica também dar retorno aos e-mails, telefonemas ou quaisquer solicitações o mais rapidamente. Ser pontual é sinal de respeito pelos demais.

Matheus é consultor de empresas muito requisitado e reconhecido tanto por sua competência quanto por seu apuro técnico. Entretanto, quando lhe perguntam do que mais se orgulha, ele responde: "Em quase trinta anos de carreira, nunca perdi um único compromisso profissional, nunca atrasei a entrega de informações e meus clientes sabem que sempre estou disponível".

Ele não se atrasa, pois se preocupa genuinamente com as pessoas, chega sempre um dia antes quando o compromisso é em outra cidade, nunca sobrecarrega a agenda para ter espaço para imprevistos, como atrasos de voos. Responde, em no máximo vinte e quatro horas, qualquer e-mail, recado ou telefonema, seja em que dia da semana for. Como tem autoridade moral, cobra do outro lado a mesma pontualidade para que possa atender a todos com a devida atenção.

Quem não cumpre o combinado acaba sendo excluído de sua restrita lista. Ele sempre diz que, para poder ser exigente e ao mesmo tempo respeitado, não basta apenas competência e disposição, mas também respeito pelo tempo do outro. "As pessoas pagam para receber o combinado com qualidade e dentro do prazo. Enrolar ou estender desnecessariamente a entrega afeta sua credibilidade e diminui sua autoridade perante os clientes."

"Estudabilidade": Criei esta palavra para resumir uma atitude importantíssima: a determinação para aprender, estudar, pesquisar, procurar alternativas e soluções para problemas e desafios complexos. Há pessoas que conseguem resolver situações difíceis estudando casos semelhantes solucionados por outros indivíduos; outras buscam soluções inovadoras analisando casos de sucesso, procurando fazer ainda melhor; e há ainda os que analisam histórias de fracassos para não repeti-los. É relevante para essas pessoas basear-se mais no estudo do que na simples tentativa e erro. É também um sinal de comprometimento com a própria evolução intelectual.

Adir tem dez empresas nos mais variados segmentos de mercado, variando da construção civil a supermercados e a revendas agrícolas. Apesar de ter estudado pouco na infância, tornou-se autodidata nas principais tarefas de seus empreendimentos. Ele lê muito, estuda casos de sucesso e procura as melhores soluções para cada novo desafio.

Como os negócios cresceram muito, Adir começou a sentir falta de mão de obra qualificada. Depois de muita análise, decidiu ser sócio de uma universidade regional com apenas dez cursos, para identificar e treinar os melhores estudantes para seus diferentes negócios. Mais da metade dos alunos paga valores subsidiados, e, mesmo calculando que terá prejuízos por dar um ensino de boa qualidade com mensalidades baratas, Adir acha que o investimento valerá muito a pena, pois terá gente jovem, bem preparada e morando na região para trabalhar em suas empresas e garantir o crescimento contínuo de seus negócios.

Ele também atua como professor na disciplina de empreendedorismo, uma forma de continuar estudando para dar aulas consistentes e ao mesmo tempo conquistar autoridade, não apenas como sócio do negócio, mas como ótimo professor. Com isso consegue avaliar o potencial de cada aluno e, também, contratar pessoalmente os melhores.

Proatividade: Um dos significados do prefixo "pro" é antecipação. A pessoa proativa está sempre se antecipando aos acontecimentos, fazendo planos de como agir no futuro com base em uma análise racional do presente, identificando e selecionando alternativas para diferentes cenários, problemas ou oportunidades. Pessoas assim tentam resolver os desafios antes que eles se transformem em problemas e costumam aproveitar oportunidades que ainda não foram percebidas pela maioria.

Carlos é o engenheiro responsável pelo canteiro de obras de uma construtora de médio porte. Apesar de ter apenas 30 anos, é considerado pelo proprietário da empresa seu colaborador

APRIMORE SUAS ATITUDES

mais importante, sendo inclusive convidado a se tornar sócio, inicialmente com uma pequena participação, que ainda assim tem valor significativo.

Em um trabalho que envolve tantos imprevistos, como clima, mão de obra com baixa qualificação, atraso na entrega de materiais, inadimplência de clientes, instabilidade política e econômica, entre outras dificuldades, o engenheiro faz a diferença, pois está sempre um passo à frente. Ele se prepara para qualquer imprevisto: sempre tem novos fornecedores de reserva; acelera as obras quando o clima está bom e treina a equipe ou faz trabalhos internos quando chove. Contrata seus subordinados pensando não apenas no presente, mas nos próximos cinco anos, e quase nunca é pego de surpresa, pois conta com pelo menos duas alternativas caso algo dê errado.

Esse tipo de atitude faz com que a produtividade de sua equipe seja 30% superior à média de mercado. Por isso o proprietário quer que Carlos comande um projeto para que toda a empresa siga os mesmos procedimentos implementados por ele.

Profissionalismo: É a determinação do indivíduo de cumprir seu trabalho de maneira correta e bem planejada. É também a atitude de sempre entregar tudo o que é combinado em todas as áreas do trabalho, mesmo que ninguém observe ou exija o cumprimento da tarefa. Pessoas assim se desdobram para cumprir sua palavra e seus compromissos, e costumam conquistar grande autoridade moral.

Em setembro de 2011 ocorreu a maior enchente dos últimos cinquenta anos no vale do rio Itajaí, em Santa Catarina.

Durante a noite, o rio subiu mais de 10 metros e inundou toda a região. Eu estava hospedado em um pequeno hotel (em uma cidade que ficou totalmente ilhada) e convivi com cerca de sessenta pessoas que ficaram confinadas no mesmo espaço. Já havia lido alguns livros que relatam os comportamentos mais comuns de pessoas expostas ao confinamento involuntário, mas nunca havia presenciado algo assim.

Iza, a dona do hotel, que apesar de ter perdido todos os bens que estavam no primeiro andar e ter dois filhos com menos de 3 anos no local, era incansável: passava o dia acalmando as pessoas, animando o ambiente, buscando alimentos por intermédio de conhecidos que passavam de barco pelas ruas e improvisando "banquetes" preparados em um fogareiro a gás.

Comandava aquela situação caótica com uma liderança firme, porém acolhedora, repetindo: "Nós invadimos o espaço da natureza e assumimos o risco ao viver ao lado de um grande rio. Isso vai passar, e a vida voltará ao normal". Ela conseguiu administrar a crise com enorme profissionalismo e determinação.

Resiliência: É a força mental do indivíduo para superar obstáculos ou resistir à pressão de situações adversas sem desanimar. É também a capacidade de enfrentar e resolver problemas sem se abater. Indivíduos resilientes conseguem, muitas vezes, transformar sofrimento em aprendizado, pois utilizam experiências desagradáveis ou dolorosas para construir alternativas positivas.

APRIMORE SUAS ATITUDES

Jean era professor de tênis e aos 40 anos realizou seu grande sonho de arrendar uma quadra de saibro coberta. Além de dar aulas e organizar campeonatos, conseguiu construir dois cômodos onde morava com a esposa e três filhos pequenos. Toda a estrutura era muito simples, mas ele compensava com ótimas aulas. Começou a fazer pequenas melhorias e, certo dia, quando estava tapando goteiras, o teto cedeu e ele despencou de cabeça no chão de uma altura equivalente a dois andares de um prédio. Depois de vários dias na UTI de um hospital entre a vida e a morte, conseguiu sobreviver, mas os danos foram graves. Teve mais de 20 fraturas (só no rosto foram 15), perdeu a visão de um olho e precisou fazer várias cirurgias.

Entre o intervalo das cirurgias de reparação do rosto, fazia fisioterapia para recuperar os movimentos dos braços e pernas. Quase dois anos após o acidente, começou a bater bola e compartilhou com seus antigos alunos um planejamento para recompor a vida, dando mostras de grande força mental, ao recomeçar a vida, inclusive financeira, do zero.

Coragem: É a capacidade de enfrentar desafios com confiança e destemor, ou de se expor em situações de crise ou dificuldade com confiança e firmeza, mesmo correndo riscos que a maioria não aceitaria. Pessoas assim contagiam todos à sua volta com seu exemplo de enfrentar os problemas mais difíceis em primeiro lugar.

Ronaldo atualmente é mestre de obras em uma grande empreiteira, na qual trabalha há mais de vinte anos, tendo passado por várias áreas. Comanda um setor de construções com uma equipe de trezentos profissionais (entre motoristas, pedreiros, pintores, marceneiros). É um trabalho extenuante e complexo, pois ele comanda obras afastadas dos centros urbanos, e os trabalhadores ficam longe das famílias, pois moram próximo ao canteiro de obras.

Além de todas as exigências técnicas e de logística, ele lida todos os dias com as demandas de pessoas que nunca haviam trabalhado juntas, em grandes alojamentos, que, apesar de proverem o básico, oferecem pouco conforto.

Ronaldo enfrenta desde problemas com o contrabando de drogas e álcool – que são terminantemente proibidos –, dificuldades de adaptação dos funcionários, pequenos desentendimentos e até grandes brigas com ameaça de morte entre os mais exaltados. Há dois meses houve uma explosão em um dos canteiros e ele ficou mais de quarenta horas sem dormir, ajudando na evacuação dos moradores, entrando em estruturas prestes a desmoronar para procurar pessoas presas nos escombros e encaminhando os feridos para outros locais.

Apesar de ser bastante exigente, ele é muito respeitado em toda a escala hierárquica por sua coragem e seu senso de justiça, não tendo medo de enfrentar situações delicadas quase todos os dias, às vezes fazendo cumprir as normas de conduta da empresa perante seus subordinados e, em outras situações, defendendo melhorias das condições de trabalho para todos, principalmente para os mais humildes. Sua coragem na tragédia apenas aumentou a consideração e o respeito que todos sentem por ele.

Temperança: Significa equilibrar-se, colocar-se sob limites e procurar assegurar o domínio da vontade sobre os instintos. É uma qualidade de quem modera o que faz, não age apenas por impulso e consegue tomar decisões equilibradas na maioria das situações difíceis. Significa também ter a capacidade de avaliar previamente as consequências de seus atos.

Regina sempre foi exemplo de pessoa equilibrada e assertiva. Desde a adolescência mediava conflitos entre os familiares, vizinhos e colegas na escola. Dificilmente perde a paciência, mas não se omite quando percebe alguma injustiça, e por isso costuma ser ouvida com atenção, mesmo por pessoas muito mais velhas do que ela.

Atualmente é gerente de recursos humanos de uma empresa de grande porte e, além de comandar os processos estratégicos da área (seleção de novos colaboradores, avaliação de desempenho, entrevistas de desligamento, treinamentos etc.), costuma ser convidada para participar de várias reuniões do conselho de administração da empresa, para opinar sobre assuntos que teoricamente não teriam a ver com suas principais atribuições (como análise sobre aquisições e até fusão com outra empresa) porque os sócios, conselheiros e diretores confiam muito em seu discernimento e bom senso. Regina tem a habilidade de opinar, às vezes contra a maioria, de forma equilibrada e com argumentos lógicos. Tem obtido tanto destaque que está sendo cogitada para assumir uma nova diretoria na empresa.

Altruísmo: A palavra "altruísmo" foi citada pelo filósofo Auguste Comte, que a definiu como "o grupo de disposições que inclinam os seres humanos a se dedicar aos outros". É a atitude de abdicar de vantagens pessoais em benefício de outra pessoa ou do interesse coletivo. Pessoas altruístas conquistam a admiração e o respeito por seus atos, não por suas palavras.

Lidy era vendedora de uma grande loja de departamentos há mais de cinco anos e sempre se destacou. Além de alcançar todas as metas, sempre demonstrou genuíno interesse em atender bem qualquer cliente, mesmo os mais difíceis.

Certo dia atendeu um idoso que procurava um lenço preto, pois estava de luto pela morte de um amigo próximo. Ela sabia que era um item difícil de achar, mas ainda assim procurou a peça em toda a loja, inclusive nos estoques mais antigos. Chegou a ligar para outras lojas e até para o departamento de compras, mas não havia nada parecido. Desapontada, foi até a costureira da loja – que fazia pequenos ajustes e consertos de peças com algum defeito – e explicou a história. Juntas encontraram um retalho de tecido preto suficiente para fazer um lenço.

A vendedora disse ao cliente que a loja não tinha o lenço para venda, mas que a costureira havia feito um como cortesia, especialmente para ele, e que o gerente da loja autorizou que nada fosse cobrado. Emocionado, o idoso beijou suas mãos.

Lidy é admirada por todos por sua generosidade.

Empatia: É a capacidade psicológica de compreender pensamentos e emoções, procurando experimentar, de maneira sincera, os sentimentos e necessidades de outros indivíduos. É a habilidade de se colocar no lugar de outras pessoas, para compreender de que modo elas tomam suas decisões, não necessariamente para fazer o que elas querem, mas para negociar melhor, por exemplo.

Marisa, gerente de uma loja de roupas femininas, atendeu ao telefonema de uma cliente que havia comprado uma camisola e queria muito um robe para sua lua de mel, mas não havia encontrado o conjunto. Marisa se colocou no lugar da cliente e, sem pestanejar, pediu ao fornecedor que fizesse a peça sob medida. "Quando abriu o pacote, ela quase caiu para trás", disse a gerente.

"Atualmente, ninguém mais dá atenção a ninguém. Quando se vê alguém tratar a gente de maneira tão especial, é impossível não se emocionar", disse a cliente.

Marisa procura entender o que as pessoas querem, mas ao mesmo tempo consegue ser justa para evitar ser explorada ou prejudicar outras pessoas. "Não faço tudo o que os outros me pedem, apenas me coloco no lugar deles e tento julgar como posso ajudar ou pelo menos aconselhar o que faria se estivesse na mesma situação.

Avalie suas atitudes

A maioria das pessoas demonstra naturalmente duas ou três das atitudes positivas descritas anteriormente em alta intensidade. Quatro a cinco dessas atitudes costumam ser medianas, e duas ou três normalmente são baixas.

Notas altas serão um diferencial importante para ajudá-lo a se posicionar melhor. Uma nota muito baixa pode ser um ponto limitante a ser ajustado.

Avalie a intensidade de cada uma das dez atitudes aqui listadas que você observa em si mesmo. Use o seguinte critério:

1. **Baixa:** Quase nunca tenho essa atitude.
2. **Média:** Tenho essa atitude dependendo do ambiente.
3. **Alta:** Quase sempre tenho essa atitude.
4. **Altíssima:** Tenho essa atitude o tempo todo e em quaisquer circunstâncias.

Disposição _____
Pontualidade _____
Estudabilidade _____
Proatividade _____
Resiliência _____
Profissionalismo _____
Coragem _____
Temperança _____
Altruísmo _____
Empatia _____

Você conhece seu perfil DISC, seus motivadores, seus talentos e agora suas atitudes mais positivas, que funcionam como um potencializador das três primeiras camadas da personalidade.

Se você, por exemplo, é dominante, introvertido, impaciente e detalhista (perfil DISC), se motiva mais pelo dinheiro (motivador profissional) e tem raciocínio rápido (talento lógico-matemático), valorizará muito todas essas características se tiver duas ou três atitudes positivas como a disposição e a pontualidade, por exemplo, ou quaisquer outras que sejam praticadas.

Boas atitudes funcionam também como um atenuante para alguns de nossos defeitos, pois as pessoas aceitam melhor nossas falhas quando percebem que temos atitudes positivas que as compensam. Portanto, não menospreze a importância das atitudes positivas.

No próximo capítulo, veremos, por fim, a última camada do *iceberg* da personalidade: os chamados pontos limitantes – que, se forem graves e não forem atenuados, poderão colocar toda a sua carreira em risco.

7
Corrija seus pontos limitantes

| Perfil |
| Motivadores |
| Talentos |
| Atitudes |
| **Pontos limitantes** |

A quinta e última camada da personalidade é composta pelos pontos limitantes. Assim como nas outras camadas, ela também costuma ser dominada por seu elefante, com o agravante de ser, normalmente, a menos percebida por seu condutor.

Pense um pouco: você conhece alguma pessoa preguiçosa que admita ser assim? Será que algum chato sabe que é chato? O teimoso tem consciência da própria teimosia? E o antipático, tem essa noção?

A maioria dos indivíduos com comportamentos disfuncionais simplesmente não os nota. Há também gente que percebe, mas justifica: "Eu pareço grosseiro quando quero ser obedecido, não porque seja assim". Ou "Demoro para responder e-mails e chego atrasado porque sou muito ocupado". Ou ainda "Sou egoísta porque, se não cuidar de meus interesses, serei passado para trás".

Se esses comportamentos não forem neutralizados ou atenuados, poderão colocar tudo a perder e afundar seu *iceberg*, prejudicando significativamente sua carreira.

É importante, antes de continuar, definir o que são pontos fortes, pontos fracos e pontos limitantes em sua personalidade. Vamos a um breve resumo.

Pontos fortes: São características de personalidade, competências ou habilidades que o diferenciam positivamente. São aptidões que permitem a realização de algumas tarefas com ótimo desempenho naturalmente, mesmo com pouco esforço. Peter Drucker – considerado por muitos o maior especialista em gestão de alta performance em todos os tempos – sempre aconselhava: "Concentre-se em seus pontos fortes e posicione-se onde eles possam produzir resultados".

Pontos fracos: Ao contrário, são aquelas tarefas ou atividades nas quais você obtém resultados ruins ou na melhor das hipóteses medianos, mesmo que faça muito esforço para executá-las corretamente. Drucker também afirmava:

"É preciso muito mais trabalho, esforço e energia para passar da incompetência para a mediocridade do que para transformar talento em excelência".

Pontos limitantes: São pontos fracos que estão prejudicando sua carreira e que, por isso, deveriam ser neutralizados ou atenuados para que seus pontos fortes possam aparecer com mais intensidade.

Já conheci pessoas que, apesar de excelente potencial ou de terem exercido funções de destaque, tiveram a carreira prejudicada ou até destruída por não controlar seus pontos limitantes. Se você não se cuidar, eles podem funcionar como um peso de muitas toneladas e até fazer seu *iceberg* afundar.

Vamos a um exemplo prático:

João é diretor de uma multinacional do ramo automobilístico e tem três grandes pontos fortes: perfil ideal para liderar equipes (DISC adequado), raciocínio muito rápido (inteligência lógico-matemática) e é extremamente dedicado em tudo o que faz (atitude positiva). Como todos nós, possui muitos pontos fracos, entre eles, não gostar de negociar com pessoas lentas, ter péssimo senso de orientação, não conseguir se concentrar em ambiente barulhento, não ter qualquer aptidão esportiva etc.

Como você pode perceber, esses pontos fracos não atrapalham em quase nada o desempenho e a carreira de João e, portanto, não devem causar preocupação.

Em compensação, muitas vezes ele é grosseiro e ameaçador com subordinados, fornecedores, clientes e até com outros diretores da empresa. Isso já lhe custou, pelo menos, duas advertências do presidente, a perda de três ótimos funcionários e um grande cliente em doze meses.

A grosseria, nesse caso, é mais do que um inofensivo ponto fraco. É, na verdade, um ponto limitante, pois pode causar sua demissão e deixar uma mancha em sua brilhante carreira. João sabe que precisará diminuir sua agressividade por meio da autogestão (controlando seu elefante) ou com a ajuda de outros profissionais, por meio de aconselhamento de carreira, coaching, terapia, meditação ou outro método que preferir. Ele tem consciência de que não se transformará em alguém gentil e caloroso, mas precisará controlar seus impulsos para não parecer tão grosseiro e intimidador.

As pessoas conseguem alcançar o sucesso profissional muito mais rapidamente ao utilizar seus pontos fortes na maior parte do tempo, mas um ponto limitante grave pode destruir qualquer carreira. O problema é que só é possível consertar um ou dois pontos limitantes de cada vez, pois a energia e o tempo gastos serão enormes, dada a dificuldade de aprimorar coisas para as quais não se tem aptidão. Lembre-se de que seu elefante odeia sacrifícios e é muito resistente a mudanças, dando pouca margem de manobra para seu condutor.

É importante entender que as pessoas têm, no máximo, cinco ou seis tarefas relevantes em seus empregos. Por isso, quando alguém me diz que está em um trabalho ou uma profissão que exige ajustes de três ou mais pontos limitantes ao mesmo tempo e de maneira urgente, minha opinião franca é: "Mude de emprego ou de profissão, pois você está no lugar errado, já que metade de suas principais tarefas têm relação com seus pontos limitantes".

Esse profissional teria de gastar muito tempo corrigindo comportamentos estruturais e pouco tempo sobraria para desenvolver seus pontos fortes. Significaria deixar de lado as qualidades de seu elefante para tentar consertar os defeitos.

Pode, entretanto, ocorrer que você esteja em um ambiente de trabalho tão ruim que alguns pontos limitantes apareçam em alta intensidade, mas de forma conjuntural. Ou seja, nesse lugar específico, suas atitudes pioram muito, pois quase nunca há oportunidade de usar seus pontos fortes.

Se uma mudança de ambiente o levar de volta a seus comportamentos mais positivos, isso mostrará que era o caso de você ser a pessoa certa no lugar errado.

Existem dezenas de pontos que podem limitar ou atrapalhar a vida profissional. No entanto, selecionei os que, segundo minha observação, são de grande relevância no fracasso profissional de muita gente, independentemente da área em que se atue.

Vamos a eles.

Apatia: Se você fica desanimado com muita frequência, isso pode indicar cansaço físico ou mental, falta de perspectiva ou de aptidão em sua profissão. Também pode ser simplesmente indolência e, então, o caso é mais sério. Não conheço uma única pessoa preguiçosa que mantenha boas perspectivas profissionais no médio e no longo prazos. Se for seu caso, procure analisar o que tem causado todo esse desânimo e se esforce para procurar atividades que o estimulem a aumentar sua disposição. Se for depressão, é coisa mais séria, e você deve procurar cuidados médicos; se for falta de aptidão na profissão, comece a preparar um plano B; se for incompatibilidade com o cargo ou a empresa, procure outro emprego.

Procrastinação: Está sempre atrasado? Não cumpre os prazos de suas tarefas? Sente-se incapaz de dar conta do trabalho? Isso pode indicar sobrecarga de atribuições e necessidade urgente de renegociar sua agenda. Entretanto, se você sempre foi impontual e procrastinador, saiba que esses são sérios motivos para a estagnação na carreira. Quem demora a fazer suas tarefas ou se atrasa com frequência não é levado a sério e, muitas vezes, acaba sendo motivo de chacota ou desprezo. Quem é assim precisa mudar alguns hábitos e diminuir aos poucos sua impontualidade. Existem muitos livros e até treinamentos *on-line* (alguns gratuitos) que abordam esse tema e dão dicas práticas de como agir para fazer uma administração de tempo mais eficaz.

Aversão aos estudos: Se você odeia estudar, não busca novidades, não procura aprender mais sobre sua profissão e ainda assim tem tido bons resultados profissionais, significa que sua área de atuação não exige muito estudo e provavelmente isso não é, no momento, um ponto limitante em sua carreira. Se, no entanto, você se sente desqualificado e tem perdido oportunidades profissionais por estar desatualizado, repense urgentemente seus conceitos e passe a estudar mais sobre sua área de atuação ou mude para uma para a qual você tenha vocação. O desinteresse pelos estudos pode demonstrar falta de ambição e causar um grande prejuízo para sua carreira. Estudar e ler um pouco mais estimulará seu cérebro, mostrará novas perspectivas e, provavelmente, indicará oportunidades que você não estava percebendo.

Resistência: Pessoas com bom senso sabem que suas ideias e seus conceitos podem ser aperfeiçoados e quase sempre estão abertas a aprender e a mudar. A pessoa resistente acha que está sempre certa e, portanto, reage contra qualquer mudança. Isso pode ser um grande limitador, pois, quando o profissional é visto como alguém do contra, começa a ser ignorado nas tomadas de decisão, a não ser convidado para reuniões ou a ser excluído socialmente do grupo de trabalho. Se você é assim, comece a exercitar um pouco mais a flexibilidade mental e tente ao menos ouvir o outro lado. Provavelmente, haverá projetos que você aceitará melhor depois de entendê-los como um todo, e não em partes. Também mostre boa vontade e empenho para analisar o ponto de vista alheio.

Pessimismo: Se o profissional é pago para ser pessimista, prever cenários difíceis ou fazer análises críticas de tudo o que pode dar errado, isso obviamente não é um ponto limitante. Aliás, é um diferencial competitivo e deve ser mantido.

Entretanto, se você for muito negativo, crítico e mal-humorado gratuitamente, saiba que é muito provável que será malvisto por quem o rodeia. Não confunda realismo com catastrofismo. O resistente tende a ser teimoso, mas pelo menos defende seus pontos de vista e tenta convencer as pessoas a aceitá-los. O pessimista, ao contrário, acha que as coisas darão errado e não costuma trazer sugestões ou opções diferentes das que foram propostas. Sempre é possível amenizar esse comportamento procurando o lado prático das coisas e trazendo, junto com a crítica, alguma solução.

Descompromisso: Se a pessoa está descontente com seu trabalho por não ser reconhecida, por ganhar pouco, ou por ser ignorada por seus superiores, deveria pensar seriamente em mudar de atitude ou de emprego para um em que se sinta mais motivada. Poucas atitudes são tão destrutivas quanto a falta de comprometimento, pois o profissional se acostuma a ser invisível ou desnecessário no ambiente de trabalho até ser demitido. Se for prestador de serviço, será ainda pior: quem contrataria alguém que parece não ligar para o que está ocorrendo? Essa falta de empenho pode demonstrar que você não gosta do que faz, não confia na empresa ou simplesmente não tem ambição de crescer ou progredir.

Portanto, procure se comprometer mais com projetos, tarefas ou empreitadas com os quais você tenha mais afinidade ou para as quais tenha mais aptidão.

Muitas vezes, mostrar "sangue nos olhos" indica entusiasmo genuíno e muda a percepção negativa das pessoas a seu respeito.

Insegurança: Todos se sentem um pouco inseguros em um novo trabalho ou em início de carreira. Se você trabalha em funções em que não há necessidade de ousadia ou que lhe permitam ter um dia a dia previsível, isso não o limitará. Entretanto, se já estiver há algum tempo no cargo, conhecer o assunto e ainda assim apresentar resultados ruins, pense em mudar sua rotina e ousar um pouco mais, pois a insegurança pode ser paralisante. Pessoas inseguras acabam dando sinais, muitas vezes não verbais, de que não gostam ou não querem assumir novos desafios, o que pode ser interpretado como covardia.

Ousar um pouco mais não significa correr riscos desnecessários, mas aceitar o fato de que você também tem o direito de errar tentando.

Instabilidade emocional: Se você está se sentindo muito irritado, tem acessos de raiva e tristeza no mesmo dia, chora ou explode com frequência e tem a sensação de que trabalhar é um martírio, talvez esteja em um ambiente muito ruim ou em uma profissão ou função inadequada à sua personalidade. Entretanto, se você se sente assim há meses ou anos e não consegue controlar suas emoções, procure urgentemente ajuda profissional, pois pode estar passando por um quadro mais sério. Muitas pessoas têm vergonha de admitir que precisam de ajuda e, para complicar, fazem uso de automedicação, abusam do álcool ou usam drogas para relaxar, piorando a situação e agravando o problema.

Se você sempre foi emocionalmente instável, esforce-se para diminuir a variação de humor por meio de terapias (ioga, meditação, por exemplo) ou processos de coaching ou mentoria.

Egoísmo: Mesmo que você trabalhe sozinho e dependa pouco de outros profissionais, pensar só em si pode afastar as pessoas e torná-lo indesejável em novos trabalhos, além de restringir seu campo de atuação. Ser muito individualista, egocêntrico ou ganancioso pode trazer algum resultado no curto prazo, mas quase certamente o prejudicará no futuro. Dividir um pouco mais suas conquistas e compartilhar seus interesses pode alavancar sua carreira de maneira surpreendente.

Não se trata de tornar-se altruísta do dia para noite, pois isso pode parecer falsidade ou apenas estratégia de manipulação, mas de demonstrar um pouco mais de preocupação com as necessidades alheias.

Pequenos ajustes podem trazer grandes resultados, principalmente se houver boa intenção.

Antipatia: Alguns trabalhos e certas profissões demandam pouco contato com público ou com colegas de trabalho, e ser pouco simpático acaba não sendo limitante. Entretanto, ser muito frio, distante ou excessivamente calado pode ser interpretado como falta de educação e restringir oportunidades profissionais. Muitas pessoas tímidas acabam sendo taxadas, indevidamente, de antipáticas por terem vergonha de interagir socialmente: em geral não gostam de bate-papo no cafezinho, não participam de panelas e não vão a festas promovidas por colegas, não por esnobismo, mas por sentirem-se deslocadas.

Se for esse o seu caso, explique, ao ser convidado, que você é muito introvertido e tem dificuldade de manter interação social, mesmo com parentes. Quase sempre as pessoas entenderão sua dificuldade. Entretanto, é possível esforçar-se um pouco mais no dia a dia para no mínimo demonstrar boa educação. Um "bom dia" ou "como foi seu fim de semana?" atenuam a imagem de antipático ou distante.

Identifique seus pontos limitantes

Na análise a seguir, notas altas serão um alerta importante para você atenuar o ponto limitante. Qualquer um desses pontos limitantes pode ter sua intensidade diminuída se você tiver disciplina e se esforçar para melhorá-los. Notas baixas significam que não há problemas.

Dê sua nota para a intensidade de cada um dos dez pontos limitantes aqui listados.

1. **Baixa:** Quase nunca sou assim.
2. **Média:** Tenho esse comportamento dependendo do ambiente.
3. **Alta:** Quase sempre tenho esse comportamento.
4. **Altíssima:** Tenho esse comportamento o tempo todo e em quaisquer circunstâncias.

Apatia _____
Procrastinação _____
Aversão aos estudos _____
Resistência _____
Pessimismo _____
Descompromisso _____
Insegurança _____
Instabilidade emocional _____
Egoísmo _____
Antipatia _____

Análise de seus pontos limitantes

Quando você atenua ou diminui seus pontos limitantes, seus pontos fortes aparecem com mais intensidade, já que na maioria das vezes as pessoas percebem mais facilmente os erros do que os acertos.

Por isso, não se acomode e neutralize o que estiver limitando sua carreira. Procure ficar atento às situações em que seus pontos limitantes costumam aparecer. Isso o ajudará a percebê-los enquanto ainda não causaram problemas graves e ficará mais fácil diminuir sua intensidade.

Com isso, terminamos de analisar o *iceberg* de sua personalidade com suas cinco camadas. Na sequência, veremos a importância de entender como funciona o aprendizado e como aumentar a habilidade de seu condutor em dominar seu elefante.

8
Aprimore-se

A partir do melhor conhecimento das camadas de sua personalidade, você poderá dar o passo seguinte, que é usar de modo adequado as ferramentas de que dispõe e, aos poucos, acrescentar novas habilidades e novos conhecimentos. Contudo, como já vimos, esbarramos na resistência do elefante, que prefere fazer sempre as mesmas coisas, e na fragilidade do condutor, que tenta desesperadamente convencer o elefante a adotar novos aprendizados e a realizar algumas mudanças.

Por que é tão difícil mudar?

Por que é tão difícil aprender algo novo e por que isso parece tão fácil depois que dominamos a técnica? A neurocientista Suzana Herculano-Houzel, no livro *Por que o bocejo é contagioso?*, explica que tocar piano, andar de bicicleta, aprender a dirigir ou dominar qualquer nova tarefa é um programa mental difícil, que precisa ser organizado corretamente antes de funcionar no modo automático. "Como só conseguimos fazer, conscientemente, uma coisa de cada vez, motoristas iniciantes precisam de grande esforço cognitivo para tirar o pé direito do acelerador, acertar o pé esquerdo na embreagem, a mão direita no câmbio, trocar a marcha e, enfim, soltar lentamente a embreagem", comenta a neurocientista.

Ou seja, quando estamos aprendendo algo, nosso condutor está momentaneamente no controle e, no começo, sente enormes dificuldades em executar a nova tarefa. Felizmente, porém, se treinarmos dirigir todos os dias, após alguns meses nosso inconsciente começa a seguir a sequência correta e passa a exigir cada vez menos a atenção consciente do cérebro. Após cerca de um ano, o inconsciente (o elefante) se vira sozinho, o conhecimento antes complicado fica fácil e nos tornamos capazes de dirigir, ouvir música, conversar com quem está no carro e ainda pensar nos assuntos da próxima reunião. Isso aconteceu porque o elefante aceitou o desafio de deixar o condutor no comando, já que, apesar das dificuldades, aprender a dirigir traria muito mais conforto físico e mental para ambos.

Esse princípio é válido para quaisquer comportamentos que queiramos mudar ou técnicas que gostaríamos de aprender: começa-se com o condutor tentando uma, duas, dez ou mil vezes, até o ponto em que o conhecimento ou a mudança passam a ser automáticos e não exigem mais nenhum esforço, passando a ser incorporados pelo elefante. Quando o condutor e o elefante conseguem ter o mesmo objetivo, alcançam resultados excelentes.

Para que essa cooperação entre o elefante e o condutor fique cada vez mais produtiva, precisamos compreender como utilizar os dois tipos de conhecimento que podemos assimilar: o conhecimento explícito e o conhecimento tácito.

O *conhecimento explícito* tem relação com os *fatos*, independentemente do contexto. Por exemplo: Brasília é a capital do Brasil. Isso é uma realidade, não uma opinião. O conhecimento explícito é ensinado cognitivamente desde a alfabetização até a faculdade, bem como em treinamentos teóricos; e está sistematizado, seja em livros, teses acadêmicas ou manuais de instruções. Para simplificar, seria como fazer um bolo seguindo uma receita que já foi testada por muita gente e funcionou bem milhares ou milhões de vezes.

O *conhecimento tácito* é o *saber* como fazer e está relacionado às habilidades que se adquirem com a experiência prática. Esse conhecimento é aquele que nos permite andar de bicicleta de olhos fechados, falar ao telefone e navegar na internet ao mesmo tempo ou fazer um bolo sem usar receita. É um tipo de conhecimento que só se aprende fazendo, e é difícil transformá-lo em manuais de treinamento. O conhecimento tácito acaba fazendo parte do sistema automático (o elefante), pois, uma vez aprendido, passa a ser executado inconscientemente.

Nosso condutor é quem procura o conhecimento explícito, ou seja, o método de como fazer. Entretanto, se o método não trouxer uma motivação emocional muito forte, não terá efeito nenhum sobre nosso elefante, que odeia dificuldades. Por isso, precisamos dar ao condutor informações precisas e comprovadas (conhecimento explícito), mas também motivar o elefante com um roteiro prático (conhecimento tácito) que gere a convicção de que o esforço trará resultados que valerão muito a pena.

Sempre que você tentar fazer algo muito diferente daquilo a que está acostumado, como por exemplo estudar um assunto de que não gosta, sentirá enorme fadiga mental. Essa exaustão é resultado de uma atividade mais intensa dos neurônios, que leva à produção de adenosina, substância que causa sonolência e nos obriga a desistir da atividade ou desacelerar.

A adenosina começa a se acumular ao redor dos neurônios que estão mais ativos em determinada tarefa e os impede de sustentar o mesmo nível de atividade por muito tempo. Essa substância age como uma proteção, pois, ao deixá-lo cansado (e com sono), evita que os neurônios envolvidos na atividade entrem em colapso energético e morram. O problema é que essa exaustão é muito mais rápida em atividades às quais você não está acostumado ou que não gosta de fazer.

Veja alguns exemplos que causam rápido cansaço mental e, às vezes, esgotamento:

- dirigir em locais mal sinalizados e sem GPS;
- tentar entender ou falar um idioma que você domina pouco;
- escrever sobre um assunto com o qual você não tem familiaridade;
- ser tímido e ir a um evento em que precise conversar com estranhos;
- participar de reuniões que não tenham nada a ver com suas atribuições;
- assistir a aulas incompreensíveis e depois precisar debater sobre o assunto;
- acordar muito mais cedo do que está acostumado e manter-se alerta;
- fazer tarefas complexas pela primeira vez.

Quando você executa uma atividade que tenha relação com sua personalidade (perfil DISC adequado, motivadores atendidos e talentos compatíveis), seus neurônios resistem ao esgotamento por muito mais tempo e sustentam tarefas complexas antes de entrar em exaustão. Quanto maior a necessidade de autocontrole, mais rapidamente a fadiga chega aos neurônios envolvidos nessa atividade.

Por isso, quanto mais você conseguir usar o jeito natural de seu elefante, menos cansaço sentirá e maior será sua produtividade. Quando aproveitamos o que já temos, nos estressamos menos e chegamos com maior rapidez aos objetivos.

Não quero dizer aqui para você se acomodar ou não fazer nada de novo, e sim que para definir prioridades e gastar energia em assuntos, problemas ou pontos limitantes que realmente valham a pena.

Preparação e motivação

Nós só aprenderemos a dirigir, jogar xadrez, usar técnicas de liderança, negociar melhor, assimilar um novo idioma ou trabalhar em uma nova função se nosso condutor se preparar bastante e nosso elefante estiver muito motivado para um difícil período de adaptação, pois a tendência do inconsciente, como vimos, será repetir indefinidamente os mesmos comportamentos ou paradigmas, sem nos darmos conta dos motivos que nos levam a agir assim.

Pense quão produtivas são as pessoas que conseguem comandar seu elefante. Para que isso aconteça, o ideal seria gastar de 70 a 80% do tempo disponível para aproveitar e aprimorar as potencialidades que você já tem, pois isso demanda pouca energia. Os outros 20% a 30% poderiam ser usados para ajustar ou consertar pontos que estão limitando seu crescimento profissional.

Se você for mandão, por exemplo, é muito mais fácil e produtivo convencer seu elefante a ser menos agressivo do que tentar transformá-lo em um bicho submisso. Percebe a diferença? Ser menos agressivo seria atenuar um ponto limitante (o que não é tão difícil), se transformar em alguém submisso equivaleria a uma mudança radical de personalidade e, portanto, caracterizaria um processo exaustivo e muito improvável.

Histórias de profissionais em busca do lugar certo

Vejamos cinco histórias de pessoas que conseguem analisar seu *iceberg* da personalidade e, com isso, posicionar-se com mais facilidade no lugar certo. Os casos aqui apresentados (assim como nos capítulos anteriores) exemplificam como a análise das cinco dimensões da personalidade facilita o posicionamento ideal.

João está satisfeito

João tem como perfil DISC: D = 25, I = 20, S = 10 e C = 40. Tem, portanto, média dominância, é introvertido (baixa influência), impaciente (baixa estabilidade) e detalhista (alta conformidade). Ele sabe que se dará melhor em funções nas quais não precise ser muito exigente, possa trabalhar a maior parte do tempo em silêncio, consiga imprimir um ritmo rápido e tenha condições de lidar com regras e procedimentos claros.

Seu principal motivador é a segurança. Por isso, tem optado por empresas que valorizam o longo relacionamento, não fazem cobranças excessivas no curto prazo e remuneram na média de mercado.

Entre seus principais talentos, estão o linguístico (intensidade média/alta) e o lógico-matemático (intensidade alta). Apesar de reservado, João consegue se expressar com clareza e tem bom poder de argumentação. Como, além disso, tem raciocínio rápido, costuma ser convincente e articulado.

Tem como atitudes positivas a disposição e a pontualidade. Por estar sempre disponível, nunca atrasa prazos e cumpre as tarefas com precisão, sendo, por isso, bastante respeitado. Ele já recusou algumas promoções, pois avalia que ainda não está preparado para elas.

Seu ponto limitante é o pessimismo, que acentua sua fama de ser negativo. Por isso, sabe que terá de se esforçar para atenuar essa imagem.

Conclusão: João se conhece muito bem, sente-se no lugar certo e não tem planos de mudanças radicais. Apenas pretende fazer ajustes que melhorarão seu desempenho e, daqui a dois ou três anos, depois de se preparar e adquirir mais experiência, pretende aceitar um cargo de chefia.

Ângela quer ganhar mais

Ângela tem como perfil DISC: D = 30, I = 40, S = 15 e C = 15. É, portanto, dominante (alta dominância), extrovertida (alta influência), impaciente (baixa estabilidade) e pouco detalhista (baixa conformidade). Por isso, prefere trabalhar onde possa comandar, comunicar-se bastante, imprimir ritmo rápido e ter muita autonomia.

Seu motivador mais intenso é o dinheiro. Como sua prioridade é obter ótima remuneração, tem optado por trabalhos (às vezes por empreitada) que remunerem acima da média de mercado, mesmo que exijam metas difíceis, proporcionem pouca segurança e cobranças de resultados no curto prazo.

Entre seus talentos estão o relacional (alto) e o atlético (mediano/alto). Ela consegue se relacionar muito bem, mesmo com pessoas que nunca viu antes, e tem ótima capacidade de argumentação. Além disso, gosta muito de esportes (já foi atleta amadora de vôlei) e usa essa habilidade para organizar campeonatos esportivos, o que facilita ainda mais sua *network*, pois ela representa uma rede de lojas de materiais de esporte.

Resiliência e coragem são suas principais atitudes positivas. Ela sempre trabalhou na área de vendas e está na carreira certa, pois nunca desiste de uma negociação, por mais difícil que seja. Também é corajosa e aceita, sem medo, novos desafios em diferentes áreas. Gostaria de ser gerente de vendas e está se preparando para isso.

Seu ponto mais limitante é a procrastinação. Apesar de todas as suas qualidades, Ângela ainda não foi promovida, pois se atrasa com frequência, se esquece de entregar os relatórios nos prazos e demora para responder e-mails. Apesar de gostar de seu trabalho, seu chefe diz que, antes de se tornar gerente, ela precisa dar bons exemplos para ter autoridade moral perante a equipe.

Conclusão: Ângela é considerada uma vendedora brilhante, gosta do que faz e gostaria de ser promovida. Entretanto, sabe que precisa, urgentemente, organizar melhor sua agenda para não se atrasar nos compromissos e cumprir os prazos que a empresa exige para decolar na carreira.

Alex, o guia supermotivado

Alex tem como perfil DISC: D = 25, I = 45, S = 30 e C = 35. Sua dominância é mediana, e ele é carismático (altíssima influência), paciente (alta estabilidade) e organizado (alta conformidade). Seu motivador mais intenso é a aprovação social. Entre seus talentos estão o relacional (alto) e o espacial (altíssimo). Suas principais atitudes positivas são a empatia e a disposição. Seu ponto mais limitante é a ansiedade.

Viajo com muita frequência e, durante a vida, já fiz centenas de traslados, normalmente com taxistas ou motoristas profissionais, e os serviços quase sempre são protocolares. Em minha última passagem por Nova York, contratei um serviço de *transfer* do aeroporto para o hotel (cerca de uma hora e meia de percurso).

Estava com minha esposa, e o motorista Alex, que era de uma agência com boa reputação, perguntou se gostaríamos de fazer um caminho "diferente" e sem custo adicional, passando por bairros residenciais. Como o tempo seria o mesmo e a viagem era de lazer, aceitei. Foi o melhor *city tour* que fiz na vida. O rapaz era bem-humorado, falava sobre a cultura dos moradores de cada local, sobre arquitetura, estilo de vida, pratos típicos, religião, esporte preferido, e nenhum dos lugares era atração turística tradicional. Foi uma verdadeira aula prática sobre a história de cada região pela qual passávamos.

Alex estava terminando a faculdade de turismo e tinha o sonho de abrir a própria agência, explorando esse lado pouco conhecido da cidade. Ele era claramente apaixonado pelo que fazia, disse que ganhava cerca de três vezes mais do que seus colegas de agência em gorjetas e que quase nunca se entediava, pois além de conhecer gente nova todos os dias, sentia-se realizado com a reação de surpresa e gratidão que as pessoas demonstravam em seus passeios. Mesmo depois de receber o pagamento (e uma boa gorjeta), fez questão de estacionar o carro e nos acompanhar até o balcão do hotel com malas e tudo o mais.

Conclusão: Esse é um bom exemplo da pessoa certa na profissão certa. Alex tem a mesma jornada de trabalho de milhares de outros motoristas na cidade, mas, diferentemente da maioria, tem muito prazer em desempenhar sua profissão. É provável que em pouco tempo ele seja dono do próprio negócio.

Natália gosta de regras claras

Natália tem como perfil DISC: $D = 10$, $I = 15$, $S = 30$ e $C = 45$. É pouco competitiva (baixa dominância), introvertida (baixa influência), paciente (alta estabilidade) e detalhista (alta conformidade). Por isso, sente-se melhor ao trabalhar onde não precise comandar, possa ficar em silêncio na maior parte do tempo, imprima um ritmo constante, mas pouco acelerado, e tenha regras claras para serem seguidas.

Seu motivador mais intenso é o aprendizado. Como sua prioridade é estudar bastante para valorizar seu currículo (acaba de se formar em contabilidade), deveria optar por empregos ou empresas reconhecidas pela excelência dos treinamentos que propiciam aos funcionários, mesmo que deem poucas oportunidades de promoção e não tenham a remuneração como ponto forte.

Seu talento mais intenso é o executor. Natália é "mão na massa" e consegue fazer suas tarefas com precisão e qualidade impecáveis.

Tem como atitudes positivas o profissionalismo e a "estudabilidade". Apesar de jovem, Natália sempre foi exemplo positivo nos lugares em que trabalhou.

Cumpre todas as tarefas que lhe são demandadas e, normalmente, entrega resultados além do esperado. Como adora estudar, sempre está procurando novas práticas para facilitar seu trabalho e dos colegas.

A insegurança é seu ponto mais limitante. Mesmo com tantas qualidades, Natália sente-se insegura e, apesar de dominar tecnicamente sua área de atuação, não consegue opinar em reuniões e não defende seus interesses por receio de parecer egoísta.

Conclusão: Natália é considerada uma funcionária exemplar, no entanto sabe que precisa expressar-se um pouco mais e capitalizar suas realizações. Qualquer empresa gostaria de contar com alguém como ela.

O introvertido que se expôs

No início deste livro, comentei uma parte da minha história profissional e terminarei este capítulo escrevendo um pouco mais sobre ela.

Meu perfil DISC é: D = 48, I = 22, S = 5 e C = 32. Portanto, sou dominante (altíssima dominância), reservado (influência média), impaciente (baixíssima estabilidade) e organizado (alta conformidade). Por isso, sinto-me mais à vontade comandando processos com ritmo rápido e regras muito claras.

Meu motivador mais intenso é a autorrealização, pois penso que tenho conseguido fazer a diferença na vida de muitas pessoas, ajudando-as a se posicionar onde realizam seu melhor desempenho. Ser bem-remunerado, obter segurança, continuar estudando e ser reconhecido como competente são consequências positivas de trabalhar no que me realiza. Por isso, só presto consultoria a empresas em que eu sinta afinidade com as pessoas que as comandam e onde possa fazer a diferença no curto prazo.

Meus talentos mais intensos são o executor e principalmente o linguístico, pois tenho boa capacidade de comunicação. Minhas principais atitudes positivas são o profissionalismo e uma pontualidade quase obsessiva.

Meu ponto limitante (felizmente cada vez menos intenso) é a falta de tato, que tem relação com meu excesso de franqueza, que, às vezes, incomoda algumas pessoas. Como tenho consciência desse limitante, procuro controlá-lo e, se percebo que passei da conta, peço desculpas.

Além de prestar consultorias e ministrar treinamentos, passei a escrever livros, conceder entrevistas e fazer palestras para grandes públicos, falando justamente sobre a importância de as pessoas se posicionarem onde possam, efetivamente, usar suas características mais marcantes. Há vinte e cinco anos, eu passava 80% do tempo tentando controlar meus pontos fracos e sobrava pouquíssimo tempo para aproveitar meus pontos fortes. Atualmente, ocorre o contrário. Invisto 80% do tempo para aprimorar minhas fortalezas e 20% para ajustar meus pontos limitantes. Acho que evoluí bastante, sinto-me mais realizado a cada ano, à vontade no meu estilo de ser e competente no que faço, porém tenho plena consciência de que ainda há muito a ser aperfeiçoado.

Conclusão: tenho certeza de que estou no lugar certo! Faço o que gosto, com pessoas com quem tenho afinidade, com boa qualidade de vida e, principalmente, tenho uma família feliz, que apoia meu trabalho e me proporciona paz de espírito para exercê-lo.

Faça a diferença

Procure analisar prestadores de serviço que o atenderam nos últimos anos – taxistas, médicos, bancários, mecânicos, balconistas, vendedores, professores etc. Desses muitos profissionais, quantos pareceram, além de muito competentes, felizes em realizar o trabalho de maneira impecável? Provavelmente poucos, e você certamente se lembra deles, porque são pessoas inesquecíveis.

Se você for excelente no que faz e usar toda sua competência e energia para prestar um serviço impecável, sua empresa, seus clientes ou seu negócio também serão inesquecíveis e imprescindíveis. Imagine a quantidade de pessoas que gostariam de ter o privilégio de contar com alguém assim? Garanto que muita gente!

Ser tão bom não significa oferecer isso de graça. Sua energia e sua eficácia valem muito, e você ficará surpreso ao ver que as pessoas pagam bem para ter os serviços de um profissional tão valioso.

Se você for a pessoa certa no lugar certo, seus clientes, sócios ou chefes farão o possível – e talvez um pouco mais – para mantê-lo ao lado deles.

Tenho convicção de que qualquer pessoa, com suas peculiaridades e estilo único de ser, pode sentir-se feliz e realizada em sua profissão. Quase nunca é fácil, mas pode ser menos difícil se ela seguir o roteiro mais adequado.

No próximo capítulo, você terá um roteiro resumido para aplicar na prática tudo o que vimos até agora.

9
Vale a pena ser a pessoa certa no lugar certo

Nós, brasileiros, nos tornamos especialistas em sobreviver e crescer em meio a crises e, nos últimos trinta anos, houve pelo menos cinco de grandes proporções. Como atravessei todas elas como executivo, e principalmente como consultor, acredito que, mesmo para aqueles que sofrem, as crises passam, o dinheiro muda de lugar e muita gente encontra grandes oportunidades, pois quem se adapta mais rapidamente usufrui melhor a nova realidade.

Esse sobe e desce econômico gera uma crônica escassez de profissionais de alta *performance*, e a maioria das companhias têm dificuldade para contratar mão de obra realmente qualificada, ou seja, profissionais que gerem resultados consistentemente bons. A conclusão é cristalina: o que é um sério problema para as empresas é uma grande oportunidade para profissionais de alto potencial que já estão, ou entrarão, no mercado de trabalho. Muita gente também trabalha ou pretende trabalhar por conta própria e, se usar ao máximo seus talentos, também pode ser muito bem-sucedida. Ou seja, nunca valeu tanto a pena ser a pessoa certa no lugar certo.

Resumo de quem você é

Agora que você já conhece as dimensões de sua personalidade, vamos reuni-las aqui para analisar qual será seu posicionamento profissional ideal. Será necessário concentrar as informações que mostrem quem você realmente é e onde esse seu jeito de ser poderá ser mais bem utilizado.

Imagino que, neste momento, você esteja motivado para aplicar esse conteúdo em sua vida profissional. Por isso, preparei um resumo com dez passos para você se posicionar onde possa potencializar ao máximo seu sucesso profissional.

O objetivo é que você tenha todas as informações reunidas para propiciar uma visão geral de seu *iceberg* (junto com um resumo de cada camada) e, portanto, de sua personalidade.

1 – Invista tempo para conhecer sua personalidade

Tudo o que você conseguiu até agora, e o que ainda espera conseguir, é muito influenciado por sua personalidade. Na verdade, provavelmente é seu patrimônio mais valioso. Portanto, é fundamental se autoconhecer e saber interpretar o funcionamento de seu sistema automático (elefante) e de seu sistema analítico (condutor).

Seu elefante é tão poderoso porque sua mente funciona mais de 95% do tempo como um piloto automático, reproduzindo pensamentos, sensações, emoções, desejos e, por fim, ações que foram condicionados em seu cérebro a partir de seu nascimento e continuam sendo repetidos, milhares de vezes, até hoje.

O problema é que essa repetição incessante "vicia" seu elefante a fazer sempre as mesmas coisas e, obviamente, obter os mesmos resultados. É bem provável que você esteja satisfeito com uma parte de sua vida, mas tenho certeza de que, em alguns aspectos, gostaria de alcançar melhores resultados.

Para isso será necessário usar as ferramentas que estudamos para que seu condutor guie seu elefante para um lugar melhor. Você poderá tomar o caminho mais longo ou procurar atalhos. No entanto, o fará por consciência própria, e não por impulso ou por tentativa e erro. No fundo, o autoconhecimento lhe dará o poder de decidir, com muito mais segurança, o que fazer de sua vida.

2 – Diminua seus vieses

Costumamos agir para obter prazer e fugir da dor. Com isso, tendemos a criar filtros mentais que distorcem nossa visão da realidade para escapar do sofrimento e prolongar a sensação de bem-estar. Acontece que esses filtros nos induzem a ignorar ou minimizar equívocos, procurando álibis que justifiquem nossas condutas. Por exemplo: quem é desorganizado costuma se justificar dizendo que gosta de se sentir livre, dando a entender que é normal viver na desordem.

Tal distorção também acontece quando gastamos mais do que ganhamos, não cuidamos da saúde e entramos em conflitos sem medir as consequências. Para ser bem-sucedido, o primeiro passo é assumir a existência de seus vieses e, antes de tomar qualquer decisão importante, perguntar-se:

- Tenho razões para ser tão otimista?
- Não estarei sendo exageradamente pessimista?
- Qual o motivo de ter tanto medo?
- Estou sendo realista nesse meu ponto de vista?

Quanto mais você prestar atenção a seus filtros, menos efeitos negativos eles terão, pois a percepção da realidade funciona como um antídoto às distorções e fortalece tomadas de decisões mais conscientes, reforçando a influência do condutor em seu dia a dia.

3 – Use suas características DISC mais marcantes

Quanto mais você aproveitar suas características estruturais, melhor será seu desempenho.

Perfil comportamental
Dominância   _____
Influência   _____
Estabilidade   _____
Conformidade   _____

O dominante precisa procurar situações em que possa liderar. O desafio será evitar "efeitos colaterais" negativos, como a agressividade.

O pacífico deveria usufruir de sua índole pacata para ser feliz sem se preocupar em competir, já que esse não é seu estilo. Precisaria apenas aprender a defender um pouco mais seus interesses.

O extrovertido precisa usar seu carisma para cativar pessoas. Apenas deveria tomar cuidado para não falar demais ou parecer superficial.

O tímido será mais feliz se usar ainda mais seu poder de concentração. Será importante, entretanto, aprender a comunicar-se um pouco melhor.

O impaciente só ficará confortável se puder usar sua agilidade no dia a dia, fugindo de trabalhos monótonos. Seria recomendável, no entanto, controlar sua ansiedade.

Para o calmo ocorre exatamente o contrário: ele trabalhará melhor em ambientes tranquilos, onde aproveitará melhor sua consistência. Será importante ficar atento para não ser excessivamente lento ao realizar suas tarefas.

O perfeccionista gosta de seguir regras. Somente um ambiente de trabalho com essas condições o manterá produtivo. O principal cuidado é evitar apegar-se a detalhes insignificantes.

O criativo precisa de muita liberdade para produzir e metas de longo prazo. Deverá preocupar-se um pouco mais em concluir suas tarefas.

Conclusão: procure trabalhar em funções compatíveis com seu perfil DISC.

Aspecto	Intensidade	Características	Trabalho ideal
Dominância	Alta	Mandão, direto, franco.	Funções em que possa comandar, empreender e ter desafios constantes.
Dominância	Baixa	Gentil, obediente, evita conflitos.	Funções em que não precise comandar e nas quais pessoas amáveis sejam valorizadas.
Influência	Alta	Extrovertido, sociável, falante.	Trabalhar com público, ambientes descontraídos e que propiciem muita interação entre as pessoas.
Influência	Baixa	Introvertido, bom ouvinte, discreto.	Trabalhos em que a concentração seja mais importante que o relacionamento.
Estabilidade	Alta	Paciente, ponderado, estável.	Funções em que a consistência seja mais importante que a velocidade.
Estabilidade	Baixa	Impaciente, ansioso, rápido.	Funções em que a agilidade e a rapidez sejam importantes e valorizadas. Lida bem com multitarefas.
Conformidade	Alta	Organizado, detalhista, rígido.	Funções em que haja regras claras e em que pessoas detalhistas sejam valorizadas.
Conformidade	Baixa	Criativo, informal, flexível.	Funções em que haja poucas regras e muita liberdade para improvisar.

4 – Satisfaça suas motivações

Motivadores   %
Dinheiro   _____
Segurança   _____
Aprendizado   _____
Reconhecimento   _____
Autorrealização   _____

Principal motivação	Trabalho ideal
Dinheiro	Profissão ou atividade que proporcione oportunidades de ganhar acima da média.
Segurança	Profissão ou atividade que proporcione segurança e previsibilidade.
Aprendizado	Profissão ou atividade que proporcione aprendizado e treinamento intensivo.
Aprovação social	Profissão ou atividade que proporcione chances de crescimento e reconhecimento.
Autorrealização	Profissão ou atividade tão prazerosa que dinheiro, segurança, aprendizado e reconhecimento importem menos.

Não force sua natureza! Para ser a pessoa certa no lugar certo, é fundamental saber o que realmente o motiva.

Se o dinheiro for sua principal motivação, priorize trabalhos que deem oportunidades de remuneração excelente. Apenas lembre-se: quem ganha mais enfrenta maior pressão por resultados.

Se você preferir segurança, procure funções em que a estabilidade seja o benefício mais explícito. Prepare-se, no entanto, para ter menos oportunidades de promoção, pois empresas assim são mais conservadoras.

Quando o aprendizado for sua prioridade, busque companhias conhecidas como escolas por darem muita ênfase aos treinamentos, mesmo que paguem menos ou não proporcionem muita estabilidade.

Ao preferir o reconhecimento como principal motivador, procure trabalhos em que você possa se destacar rapidamente, alcançando grande exposição, mesmo ganhando menos no início. Pequenas empresas podem ser muito interessantes, pois necessitam formar líderes com maior rapidez.

A autorrealização como motivador mais intenso pressupõe a necessidade de buscar um trabalho que esteja relacionado à sua missão de vida. Nesse caso, as outras motivações ficam em segundo plano.

5 – Use seus principais talentos

Intensidade (baixa, média, alta ou altíssima)

Artístico _____

Esportivo _____

Relacional _____

Espacial _____

Linguístico _____

Naturalista _____

Lógico _____

Executor _____

Empreendedor _____

Criativo _____

Talento (em intensidade alta ou altíssima)	Trabalho ideal
Artístico	No qual possa praticar atividades artísticas ou corporais.
Esportivo	No qual possa praticar atividades esportivas competitivas.
Relacional	Atividades que permitam lidar intensamente com muitas pessoas ao mesmo tempo.
Espacial	Atividades que propiciem uso de habilidades relacionadas à localização e ao movimento.
Linguístico	Atividades que demandem uso da oratória ou da escrita com frequência.
Naturalista	Atividades que propiciem contato com fenômenos relacionados à natureza.
Lógico-matemático	Atividades em que o intelecto possa ser intensamente utilizado.
Executor	Atividades que propiciem a execução de tarefas que deem prazer. Ser "mão na massa".
Empreendedor	Atividades que lidem com a gestão de negócios próprios.
Criativo	Atividades que permitam a expressão da criatividade com muita liberdade.

Será essencial descobrir as atividades nas quais você se destaca naturalmente. Ter um talento em alta intensidade não significa que as coisas estejam resolvidas.

Eu, por exemplo, tinha talento linguístico, mas, como sou reservado, tive dificuldades em aproveitar esse diferencial no início da carreira. Precisei treinar muito, fazer centenas de apresentações, ler bastante sobre técnicas de apresentação e testar diferentes abordagens até encontrar o estilo que melhor funcionava. Hoje, faço palestras para grandes públicos com segurança, desenvoltura e bom humor. É claro que o talento ajuda, mas a humildade para continuar aprendendo e a disciplina para evoluir fazem enorme diferença.

Por isso, estude, teste, persevere, insista e demonstre suas habilidades em todas as situações possíveis. Esse processo pode demorar um pouco, mas trará excelentes resultados em sua carreira.

6 – Intensifique suas atitudes positivas

Intensidade (baixa, média, alta ou altíssima)

Disposição _____

Pontualidade _____

Estudabilidade _____

Proatividade _____

Resiliência _____

Profissionalismo _____

Coragem _____

Temperança _____

Altruísmo _____

Empatia _____

Suas atitudes positivas funcionam como o pedal do acelerador para você se posicionar mais rapidamente onde almeja. O problema é que muita gente parece ter vergonha de mostrar essas qualidades, e isso é um grande equívoco.

Se você tem alta disposição, faça disso um *slogan*.

Se você é pontual, use isso a seu favor, criando uma marca pessoal.

A estudabilidade faz enorme diferença em trabalhos que necessitem de pessoas que aprendam rápido e criem alternativas para problemas difíceis.

A proatividade é uma daquelas atitudes que pouquíssimas pessoas realmente têm; caso você seja uma delas, use-a com mais frequência, antecipando soluções.

Se a resiliência é uma de suas características, você é mentalmente muito forte e supera rapidamente suas adversidades.

No mundo atual, em que pouca gente cumpre tudo o que promete, o profissionalismo talvez seja a atitude que mais impulsione sua carreira.

Coragem é um atributo de poucos e deveria ser utilizada para reforçar sua autoridade para enfrentar situações delicadas.

A temperança pode ajudá-lo a criar a reputação de alguém que, além de equilibrado, tem habilidade para mediar conflitos.

Altruísmo é a atitude que mais gera admiração sincera por quem a possui e aplica.

Empatia é a principal habilidade dos grandes negociadores.

7 – Atenue seus pontos limitantes

Intensidade atual (baixa, média, alta ou altíssima)

Apatia _____

Procrastinação _____

Aversão aos estudos _____

Resistência _____

Pessimismo _____

Descompromisso _____

Insegurança _____

Instabilidade emocional   _____
Egoísmo   _____
Antipatia   _____

Como visto, ponto limitante é um ponto fraco que está prejudicando seu desempenho. Será essencial identificar e atenuar seus pontos limitantes para não ficar estacionado, pois eles funcionam como um freio de mão puxado e, em alguns casos, podem destruir sua carreira. Fique atento a que eles diminuam a cada dia.

A apatia é tida como indicativo de preguiça e deve ser combatida; portanto, anime-se!

Procrastinar funciona como sinônimo de enrolar, e ter essa fama prejudica qualquer um; é importante organizar-se para cumprir os prazos.

Quem odeia estudar restringe-se a fazer pouco trabalho intelectual; esforce-se para, no mínimo, ler um pouco mais.

Ser resistente cria barreiras para a própria pessoa; faça um esforço para demonstrar um pouco mais de flexibilidade.

Ser pessimista afasta as pessoas, inclusive as que gostam de você; tente ser um pouco mais positivo.

A falta de comprometimento, para muitas empresas, é o ponto limitante mais grave; envolva-se mais com aquilo em que você trabalha.

Inseguros sofrem com fantasias negativas que, na maior parte das vezes, nunca se concretizarão; arrisque um pouco mais a cada dia.

A instabilidade emocional pode desmoralizar o indivíduo; procure controlar suas emoções.

O egoísmo talvez seja o ponto limitante mais fácil de ser percebido e rejeitado pelos demais; compartilhe um pouco mais suas conquistas.

Ser antipático fecha muitas portas e repele relacionamentos; vale a pena ter consciência de que o mundo não é uma ilha.

Há diferentes maneiras de atenuar seus pontos limitantes: terapia, *coaching*, meditação, exercícios físicos e até medicação (prescrita por médicos). Entretanto, o que mais funciona é a autoanálise. Seu condutor precisa ficar atento e agir antes de o elefante passar dos limites. Nossos defeitos são como "monstrinhos internos". Eles não desaparecem, mas podem ser controlados. Esse processo terá de durar a vida toda, mas, se bem executado, trará recompensas significativas.

8 – Invista tempo no que vale a pena

Você precisa usar a força de seu elefante e o raciocínio lógico de seu condutor para investir tempo e energia no que realmente vale a pena.

Dominar os mecanismos de ação desses sistemas facilitará sua compreensão de como aproveitar melhor toda a sua estrutura mental. Os escritores Chipp Heath e Dan Heath resumiram o funcionamento dos dois modos de ação.

Seu elefante:

- Busca recompensas apenas no curto prazo, pois está acostumado a agir por impulso, pensando apenas no presente.
- Odeia fazer regime, estudar, mudar hábitos, controlar os desejos e tudo que envolva autocontrole e moderação.
- Detém a força, pois é muito maior e mais poderoso.
- Nunca se cansa de repetir os mesmos hábitos do passado.

Seu condutor:

- Tem a ilusão de comandar, mas, na verdade, tende a justificar os comportamentos do elefante.
- Cansa-se rapidamente, pois tem pouca energia para obrigar o elefante a fazer qualquer coisa contra sua vontade.
- O que parece preguiça é, muitas vezes, exaustão.
- Cada tentativa de mudança fracassada esgota sua força de vontade.

Por isso, você precisa:

A - Treinar seu condutor

A dificuldade, na maioria das vezes, tem relação com a falta de clareza. Quando seu condutor tem informações precisas de como seu elefante funciona, fica muito mais seguro de como agir para convencê-lo a seguir por um caminho mais adequado.

B - Motivar seu elefante

Há necessidade de proporcionar recompensas que compensem o sacrifício inicial do aprendizado e da mudança. Sempre se pergunte: "O que ganharei com a mudança?". O motivo precisa ser suficientemente forte para valer a pena. Por exemplo: "Se aprendermos a falar inglês em dois anos, seremos promovidos e teremos boas chances de morar no exterior, que é nosso grande sonho".

C - Seguir um roteiro

Tanto o elefante quanto o condutor precisam se aliar para alcançar qualquer objetivo. Juntos são muito mais poderosos.

Aprender a falar um novo idioma não é fácil, mas fica menos difícil quando o condutor convence o elefante com uma meta factível: "Se estudarmos uma hora por dia, três vezes por semana, em dois anos aprenderemos o idioma e a cada semana será mais fácil".

9 – Faça prática deliberada

Agora que você conhece seu perfil, seus motivadores, seus talentos, suas atitudes positivas e seus pontos limitantes, ficará muito mais fácil fazer os ajustes necessários para trilhar a estrada certa e começar a jornada para chegar ao destino desejado.

Depois de identificar qual é seu "lugar certo", você precisará se esforçar para chegar lá. Para isso, deverá se aprimorar tecnicamente em sua profissão. Prática deliberada é todo o preparo, esforço e treinamento feitos especificamente para melhorar seu desempenho. "Toneladas" de prática deliberada resultarão em excelência. Para se tornar excelente em seu campo de atuação, você necessitará de pelo menos dez mil horas de prática (isso significa de cinco a dez anos), dependendo da intensidade do treinamento e da repetição que você se propuser a fazer.

Trata-se do período razoável de que um professor, médico, engenheiro, violinista, vendedor, gerente, empreendedor, técnico agrícola, enfermeiro e outras dezenas de profissionais precisam para se tornar alguém fora de série.

Pode-se pensar que esse período é muito longo. Não é se você estiver fazendo aquilo de que gosta e para o que tem talento. Perda de tempo seria ficar mudando de trabalho frequentemente ou permanecer anos em uma profissão para a qual você não tem vocação. Por isso, assim que estiver no caminho certo, mantenha o foco e a prioridade de aprimorar-se para fazer a diferença.

10 – Apresente-se!

Agora é hora de mostrar ao mundo quem você é, buscando lugares em que as suas qualidades sejam valorizadas. Sugiro que seja explícito ao descrever sua personalidade, inclusive no currículo. Os gestores adoram isso, pois conseguem muito mais informações de quem tem bom autoconhecimento e, com isso, podem decidir assertivamente quem é mais indicado para cada função.

No currículo, você poderia colocar, logo após as informações técnicas e experiências profissionais, o seguinte item:

Personalidade
Além de todas as qualificações técnicas apresentadas, meus traços mais marcantes são: não gosto de comandar, mas sou "mão na massa", tenho grande senso de urgência, sou carismática, muito disposta, adoro trabalhar em equipe, comunico-me bem e priorizo o aprendizado. Se precisar contar com alguém com tais características, sou a pessoa certa.
Atenciosamente, Fulana.

Certamente, essa descrição restringirá o campo de trabalho de Fulana (que é uma pessoa com baixa dominância e portanto prefere não trabalhar em cargos que envolvam liderança), mas poupará um tempo valiosíssimo (principalmente para ela), pois não receberá propostas para trabalhar em cargos que exijam dominância alta, ambientes formais ou pouco contato com público. Em compensação, crescem suas chances de trabalhar em lugares que tenham estreita relação com o seu perfil, sua motivação, seu talento e suas atitudes mais marcantes.

Sugiro que você faça o mesmo! Resuma, em poucas linhas, quem você é, nos mesmos moldes do modelo apresentado. Envie para dez pessoas que o conheçam bem e peça que analisem se você é realmente o que escreveu. Se oito delas concordarem com sua descrição, você já está com 80% do roteiro traçado para achar seu lugar no mundo!

Insista em procurar o que você realmente deseja alcançar. Se seguir esse roteiro, terá grandes chances de encontrar o posicionamento profissional que mais se aproxima de sua personalidade e que lhe dará chances de ser muito bem-sucedido, não só em sua profissão, mas também em sua vida, pois pessoas bem resolvidas tendem a ser mais felizes.

Os momentos mais importantes da vida

O escritor e consultor americano Richard Leider dedica-se há mais de quarenta anos a estudar o que as pessoas podem fazer para levar uma vida melhor. Ele entrevista pessoas bem-sucedidas com mais de 65 anos para descobrir o que elas têm a ensinar e, se pudessem voltar atrás, como refariam sua vida. Em todos esses anos de pesquisa, Leider conheceu e analisou centenas de pessoas maduras, nos mais diferentes contextos e realidades, desde presidentes aposentados de grandes empresas até sábios de povos primitivos.

Um de seus estudos mais interessantes, comentado em reportagem da revista Época Negócios, foi sobre os Hadza, uma etnia que vive da coleta e da caça na Tanzânia e que leva um estilo de vida parecido com o dos nossos ancestrais que viviam na idade da pedra.

Leider foi surpreendido, no meio de uma de suas entrevistas, por Kampala, um ancião de 98 anos, que perguntou: "Quais são os dois momentos mais importantes da vida?". O escritor respondeu o que lhe pareceu óbvio: "O momento em que você nasce e o momento em que você morre".

"Poxa!", disse o ancião. "Eu nunca saí daqui, ando a pé, durmo ao lado da fogueira e só conheço meus vizinhos. Você conhece o mundo todo, viaja de avião, dorme em uma casa, conversa com gente importante e não sabe a resposta para a pergunta mais básica de todas?"

Com sua sabedoria quase centenária, Kampala afirmou: "O primeiro momento você acertou, **é quando a pessoa nasce**. O segundo momento **é quando ela descobre por que nasceu**."

A melhor profissão do mundo não é apenas a que dá muito dinheiro, conforto ou fama, mas aquela em que você se realiza fazendo aquilo que gosta.

Cada projeto de vida tem uma história, e cabe exclusivamente a você tornar a sua uma grande experiência.

Espero, sinceramente, que este livro contribua para que você encontre o seu lugar e seja feliz no trabalho e na vida!

Referências bibliográficas

Livros

AAMODT, Sandra; WANG, Sam. *Bem-vindo ao seu cérebro.* Por que perdemos as chaves do carro, mas nunca esquecemos como se dirige e outros enigmas do comportamento cotidiano. São Paulo: Cultrix, 2008.

ARIELY, Dan. *Previsivelmente irracional:* como as situações do dia a dia influenciam as nossas decisões. Rio de Janeiro: Campus, 2008.

_____. *Positivamente irracional.* Os benefícios inesperados de desafiar a lógica em todos os aspectos de nossas vidas. Rio de Janeiro: Campus, 2010.

BRADBERRY, Travis. *O código da personalidade.* Conheça seus talentos e suas dificuldades, compreenda as pessoas com quem convive e aprenda a se relacionar melhor. Rio de Janeiro: Sextante, 2010.

COLVIN, Geoff. *Desafiando o talento:* mitos e verdades sobre o sucesso. São Paulo: Globo, 2009.

DRUCKER, Peter. *Desafios gerenciais para o século XXI*. São Paulo: Thomson, 1999.

DUHIGG, Charles. *O poder do hábito*. Por que fazemos o que fazemos na vida e nos negócios. Rio de Janeiro: Objetiva, 2012.

FERNÁNDEZ-ARMESTO, Felipe. *Os desbravadores:* uma história mundial da exploração da Terra. São Paulo: Companhia das Letras, 2009.

FERRAZ, Eduardo. *Vencer é ser você*: Entenda por que a gente é do jeito que a gente é para progredir na carreira e nos negócios. São Paulo: Gente, 2012.

FREUD, Sigmund. *Chaves* – Resumo das obras completas. São Paulo: Atheneu, 1998.

GARDNER, Howard. *Inteligências múltiplas:* a teoria na prática. Porto Alegre: Artmed, 1995.

_____. *Mentes que mudam:* a arte e a ciência de mudar as nossas ideias e as dos outros. Porto Alegre: Artmed/Bookman, 2005.

GOLEMAN, Daniel. *Inteligência emocional:* a teoria revolucionária que redefine o que é ser inteligente. Rio de Janeiro: Objetiva, 1995.

_____. *O cérebro e a inteligência emocional. Novas perspectivas.* Rio de Janeiro: Objetiva, 2011.

HAIDT, Jonatan. *Uma vida que vale a pena.* Encontrando a felicidade nas verdades atuais e na eterna sabedoria dos grandes pensadores. Rio de Janeiro: Alegro, 2006.

HANH, Thich Nhat. *A arte do poder*. Rio de Janeiro: Rocco, 2007.

HEATH, Chip; HEATH, Dan. *A guinada.* Maneiras simples de operar grandes transformações. Rio de Janeiro: Best Business, 2010.

REFERÊNCIAS BIBLIOGRÁFICAS

HERCULANO-HOUZEL, Suzana. *Por que o bocejo é contagioso?* E outras curiosidades da neurociência no cotidiano. Rio de Janeiro: Zahar, 2007.

KAHNEMANN, Daniel. *Rápido e devagar*. Duas formas de pensar. Rio de Janeiro: Objetiva, 2012.

KERRY, Patterson et al. *As leis da influência*. Descubra o poder de mudar tudo. Rio de Janeiro: Campus, 2008.

LENT, Roberto. *Cem bilhões de neurônios:* conceitos fundamentais de neurociência. São Paulo: Atheneu, 2004.

MLODINOW, Leonard. *O andar do bêbado*. Como o acaso determina nossas vidas. Rio de Janeiro: Zahar, 2009.

_____. *Subliminar*. Como o inconsciente influencia nossas vidas. Rio de Janeiro: Zahar, 2013.

RIDLEY, Matt. *O que nos faz humanos:* genes, natureza, experiência. Rio de Janeiro: Record, 2008.

SCHULTZ, Duane P.; SCHULTZ, Sydney Ellen. *Teorias da personalidade*. São Paulo: Thomson, 2002.

SHORE, Rima. *Repensando o cérebro*. Porto Alegre: Mercado Aberto, 2000.

THALER, Richard; SUNSTEIN, Cass. *Nudge: o empurrão para a escolha certa*. Aprimore suas decisões sobre saúde, riqueza e felicidade. Rio de Janeiro: Campus, 2009.

WATTS, Duncan J. *Tudo é óbvio*. Desde que você saiba a resposta. São Paulo: Paz e Terra, 2011.

WELCH, Jack; BYRNE, John. *Jack Definitivo:* segredos do executivo do século. Rio de Janeiro: Campus, 2001.

Artigos

"69% das empresas sofrem com falta de trabalhadores qualificados, diz CNI". Do G1, em São Paulo. Disponível em: <http://

g1.globo.com/economia/pme/noticia/2011/04/69-das-empresas-sofrem-com-falta-de-trabalhadores-qualificados-diz--cni.html>. Acesso em: 22 jan 2019.

ABDALLA, Ariane; COHEN, David. "O trabalho perdeu o sentido?" *Época Negócios*. São Paulo: Globo, ed. 68, out. 2012. p. 90. Acesso em: 22 jan 2019.

CARELLI, Gabriela. "Anatomia da personalidade." *Veja*, São Paulo: Abril, n. 1973, 13 set. 2006. Disponível em: <http://veja.abril.com.br/130906/p_070.html>. Acesso em: 22 jan 2019. Acesso em: 22 jan 2019.

HERCULANO-HOUZEL, Suzana. "Exaustão cerebral." *Folha de S. Paulo*, São Paulo, 7 jun. 2011. Disponível em: <http://www1.folha.uol.com.br/fsp/equilibrio/eq0706201108.htm>. Acesso em: 22 jan 2019.

VINES, Juliana. "Pesquisa mostra lado negro do otimismo." *Folha de S. Paulo*, São Paulo, 12 jul. 2011. Disponível em: <http://www1.folha.uol.com.br/equilibrioesaude/941968-pesquisa-mostra-lado-negro-do-otimismo.shtml>. Acesso em: 22 jan 2019.

Links sobre o livro na mídia

https://veja.abril.com.br/educacao/faca-um-balanco-de-sua-carreira-em-2013-e-planeje-as-mudancas-para-2014/. Acesso em: 22 jan 2019.

https://exame.abril.com.br/pme/4-valores-que-toda-pequena-empresa-deveria-ter/. Acesso em: 22 jan 2019.

https://exame.abril.com.br/pme/5-fatores-que-podem-motivar-mais-que-dinheiro/. Acesso em: 22 jan 2019.

Vídeos sobre assuntos do livro na *Revista Exame*

https://exame.abril.com.br/videos/sua-carreira/ser-otimista-demais-pode-prejudicar-a-carreira/. Acesso em: 22 jan 2019.

https://exame.abril.com.br/videos/sua-carreira/como-ser-autentico-sem-ser-sem-nocao-3/. Acesso em: 22 jan 2019.

https://exame.abril.com.br/videos/sua-carreira/os-passos-para-ser-mais-altruista-no-trabalho/. Acesso em: 22 jan 2019.

https://exame.abril.com.br/videos/sua-carreira/como-ser-proativo-de-verdade-2/. Acesso em: 22 jan 2019.

https://exame.abril.com.br/videos/sua-carreira/da-para-aprender-a-se-colocar-no-lugar-dos-outros/. Acesso em: 22 jan 2019.

https://exame.abril.com.br/videos/sua-carreira/ter-iniciativa-e-suficiente-para-crescer-na-carreira/. Acesso em: 22 jan 2019.

https://exame.abril.com.br/videos/sua-carreira/ate-que-ponto-posso-defender-um-colega-sem-me-prejudicar/. Acesso em: 22 jan 2019.

https://exame.abril.com.br/videos/sua-carreira/e-possivel-conquistar-a-vaga-so-com-experiencia-academica/. Acesso em: 22 jan 2019.

https://exame.abril.com.br/videos/sua-carreira/como-mudar-de-emprego-sem-sair-da-empresa/. Acesso em: 22 jan 2019.

https://exame.abril.com.br/videos/sua-carreira/meu-chefe-nao-me-enxerga-o-que-fazer-para-ser-notado-2/. Acesso em: 22 jan 2019.

https://exame.abril.com.br/videos/sua-carreira/sou-perfeccionista-e-tendo-a-travar-o-sistema-o-que-fazer/. Acesso em: 22 jan 2019.

https://exame.abril.com.br/videos/sua-carreira/posso-tambem-entrevistar-o-recrutador/. Acesso em: 22 jan 2019.

https://exame.abril.com.br/videos/sua-carreira/o-tamanho-da-empresa-da-o-limite-da-ascensao-profissional/. Acesso em: 22 jan 2019.

https://exame.abril.com.br/videos/sua-carreira/sou-recem-formado-vale-a-pena-mudar-de-carreira-agora/. Acesso em: 22 jan 2019.

Agradecimentos

Agradeço especialmente à minha esposa, Márcia, que, além de ser minha principal incentivadora para escrever esta obra, foi extremamente assertiva ao se colocar no lugar dos leitores e sugerir ajustes importantes em todos os capítulos. Ela e minha filha, Ana, também tiveram enorme compreensão com minha menor disponibilidade nos quase dois anos em que investi em estudos, leituras e execução desta obra.

Aos meus amigos e parceiros que, com seus conselhos, suas sugestões e suas críticas evitaram que eu cometesse alguns equívocos e melhorasse o conteúdo deste livro: Alceu Vezozzo Filho, Alda Leandro, Altemir Farinhas, Carlos Barbosa, Edson Busin, Fernanda Busato, Frank Zietolie, João Alécio Mem, José Pio Martins, Leoni Pedri, Luciano Merigo, Marcelo Rossi, Marcos Pedri, Magaly Grubba, Maria Fernanda Marques, Naim Akel Filho, Paulo Machado, Pedro Ronzelli Júnior e Wilson Soler.

A todos, meu muito obrigado.

O autor

Eduardo Ferraz é engenheiro-agrônomo, formado pela Universidade Federal do Paraná (UFPR), pós-graduado em Direção de empresas pelo Instituto Superior de Administração da PUC do Paraná (ISAD PUC-PR) e especializado em coordenação e dinâmica de grupos pela Sociedade Brasileira de Dinâmica dos Grupos (SBDG). Trabalhou na multinacional Ciba-Geigy de 1986 a 1991 e, a partir de então, começou a prestar consultorias e treinamentos, tendo como base teórica a neurociência comportamental.

Tem mais de 30 anos de experiência e cerca de 30 mil horas de prática com consultoria em empresas e em treinamentos na área de gestão de pessoas. É reconhecido tanto por seu consistente embasamento teórico como por seu estilo direto e assertivo. Toda essa bagagem o torna um dos mais capacitados profissionais em desenvolvimento humano no país.

Possui grandes *cases* de sucesso e atende clientes como Banco do Brasil, Bayer, Basf, Bourbon Hotéis, Correios, C. Vale, Dell Anno, Fiat, Livrarias Curitiba, N Produções, Petrobras, Sadia, entre muitos outros.

Entre 2010 e 2019 teve mais de 700 participações na mídia – entre artigos e entrevistas em vários veículos de comunicação, entre eles, canais de televisão aberta e a cabo, como Globo, Bandeirantes, SBT, Record, GloboNews e GNT, e emissoras de rádio, como CBN, BandNews, Bandeirantes, Globo, Jovem Pan e Transamérica.

Concedeu entrevistas para diversos periódicos, como as revistas *Exame*, *Época*, *Época Negócios*, *Nova*, *Veja*, *Você S/A*, *Você RH*, entre outras, e os jornais *Folha de S. Paulo*, *O Estado de S. Paulo*, *O Globo*, *Jornal da Tarde*, *Estado de Minas*, *Diário de Pernambuco*, *Correio do Povo*, *Zero Hora*, *Gazeta do Povo*, *Correio Braziliense*, *O Povo*, entre outros. É comentarista em vídeos da revista *Exame*, colunista na rádio BandNews de Curitiba e da rádio Bandeirantes FM.

Em 2010, publicou o livro *Por que a gente é do jeito que a gente é?*. Em 2013, publicou *Seja a pessoa certa no lugar certo* (cuja versão atualizada você tem em mãos). Em 2015, publicou *Negocie qualquer coisa com qualquer pessoa*. Em 2017, publicou *Gente que convence* e, em 2018, *Gente de resultados*. Somados, esses cinco livros já venderam mais de 250 mil exemplares e permaneceram por mais de cem semanas nas listas dos livros de negócios mais vendidos do país.

Leia também, do mesmo autor:

Você já teve a desagradável sensação de ser subestimado? Já se sentiu em desvantagem por não saber como argumentar? Já perdeu oportunidades por não conseguir demonstrar seus pontos fortes? Já fez ótimos trabalhos, mas não obteve o devido reconhecimento?

Essas situações são mais comuns que se imagina, pois frequentemente você precisa convencer alguém de algo: sua competência profissional; seu valor em um relacionamento afetivo ou a qualidade de seus produtos e serviços. Portanto, é fundamental identificar e utilizar as características de sua personalidade que aumentam sua autoconfiança, bem como aplicar técnicas para aprimorar seu poder de persuasão.

Nesse livro o autor propõe um método prático, que dará ferramentas para potencializar sua capacidade de convencimento e, assim, melhorar significativamente seus resultados pessoais e profissionais.

"Como contratar, preparar, motivar e liderar profissionais de alto rendimento sem ser especialista no assunto?"

Para responder a essa pergunta fundamental, baseado em mais de 30 anos de experiência em consultorias e treinamentos, Eduardo Ferraz preparou um manual prático para gestores que gostariam de obter excelentes resultados em sua atividade profissional, e mostra, de forma objetiva, como formar equipes compactas de altíssimo potencial. O livro está dividido em duas partes:

Parte 1 – Autoconhecimento e análise: veremos que, para montar um time de grande qualidade, primeiro você precisa conhecer seu estilo de ser, saber em que estágio está seu negócio e como é o desempenho de sua equipe atual.

Parte 2 – Tomadas de decisão e estratégias: você receberá técnicas muito claras sobre como aproveitar o que seus colaboradores têm de melhor, como agregar novos profissionais e até como começar a montar um grupo vencedor do zero, se for necessário.

**Acreditamos
nos livros**

Este livro foi composto em Chaparral
Pro e impresso pela RRD para a Editora
Planeta do Brasil em março de 2019.